Introduction à la phonétique corrective

COLLECTION LE FRANÇAIS DANS LE MONDE B. E. L. C.
dirigée par André Reboullet

PIERRE ET MONIQUE LÉON
université de Toronto

introduction à la PHONÉTIQUE CORRECTIVE

à l'usage des professeurs de français à l'étranger

Deuxième Édition

LIBRAIRIES HACHETTE ET LAROUSSE

DANS LA MÊME COLLECTION

Monique LÉON : Exercices systématiques de prononciation française.

Fascicule I : *Articulation.*
Fascicule II : *Rythme et Intonation.*

E. COMPANYS : Phonétique française à l'usage des hispanophones.

F. RÉQUÉDAT : Les exercices structuraux.

E. WAGNER : De la langue parlée à la langue littéraire.

HACHETTE ET LAROUSSE

TABLE DES MATIÈRES

CHAPITRE II

Les sons dans la chaîne parlée
Facteurs d'accents linguistiques et phonétiques

APPENDICE

Conseils pratiques pour l'enseignement de la prononciation dans la classe de langue

TABLE DES FIGURES

PRÉFACE

Une audition et une phonation correctes conditionnent la bonne compréhension orale et facilitent l'expression. Ce sont, le plus souvent, les objectifs immédiats de la classe de français langue étrangère, ainsi que le recommandent d'ailleurs les instructions données aux professeurs dans la plupart des cas.

Dans la pratique, les problèmes de phonétique ne sont pas toujours résolus de la manière la plus économique ni la plus efficace.

Une méthode trop couramment employée consiste à s'appuyer constamment sur un texte écrit. Les mots, les phrases sont transposés oralement. Professeurs et élèves ont tendance à adhérer au découpage en mots ou en syllabes du texte écrit, et à prononcer lentement, de façon linéaire, en dénaturant le rythme et l'intonation de la phrase parlée. Ce « français » si particulier à la classe n'aurait pas cours au-dehors mais, de cette façon, l'élève « comprend mieux »! Si l'élève apprend ainsi à reconnaître des sons à l'audition, il n'acquiert pas pour autant l'automatisme direct indispensable qui permet de percevoir d'emblée les ensembles sonores et leur sens dans le contexte. Le problème de l'enseignement de la langue parlée reste entier.

Ou bien le professeur voudra mettre en valeur telle idée, tel mot nouveaux. Il utilisera pour cela de la façon la plus naturelle, donc la moins consciente, la ressource que lui offre le français : l'accent d'insistance. Il donnera ainsi constamment comme modèle à ses élèves des variantes stylistiques accidentelles, des ensembles sonores comportant un accent ajouté, plus marqué que l'accent rythmique normal. Or, le professeur abuse souvent de ces accents d'insistance, et les élèves auront les plus grandes difficultés à acquérir le mécanisme de l'accent logique si particulier au français.

Pour l'intonation, le problème est plus grave encore, car il est infiniment plus complexe. Beaucoup ne lui accordent, à tort, qu'une valeur d'ornement musical ou considèrent « qu'il est impossible de l'enseigner ». Ce même professeur, qui ne progresse qu'avec le plus grand soin dans les domaines de la grammaire et du vocabulaire, va jongler dès la première leçon avec les accents et les intonations pour donner de la vie à sa classe...

Enfin de nombreux professeurs pensent encore qu'il existe peu de différence entre langue écrite et langue parlée et que les deux enseignements peuvent être menés de front sans précautions particulières. On croit qu'aux lettres correspondent des sons, que les syllabes écrites sont semblables aux « syllabes » de la langue parlée...

L'enseignement du français parlé pose des problèmes que n'est pas en mesure de résoudre seul le bon professeur non prévenu et, trop souvent, la formation donnée actuellement est incomplète sur ce point essentiel.

D'autre part, un enseignement culturel valable ne peut s'appuyer sur la seule connaissance de la langue écrite. Un beau texte n'est pas uniquement la somme des idées qu'il contient et ces idées elles-mêmes seront valorisées par la diction. « Nous ne sommes rien sur le papier », disait Valéry. L'enseignement de la prononciation doit intervenir dès le premier stade de l'apprentissage de la langue. Il ne peut être mené à bien que grâce à un minimum de connaissances phonologiques, à l'emploi de certaines techniques qui n'entraîneront pas pour autant l'utilisation exclusive des signes phonétiques pendant les premières semaines, ni la récitation de listes de sons dépourvus de sens, procédés qui risquent légitimement de rebuter le non-spécialiste et les élèves.

Le professeur doit gagner du temps, donc de l'efficacité, tout en faisant face aux exigences de l'enseignement oral. Nous désirons éviter ces dialogues de sourds entre le professeur qui entend la faute de l'élève, mais ne sait pas la corriger parce qu'il ignore cause et remède, et l'élève qui, lui, ne peut être tenu pour coupable de ne pas entendre, donc de ne pas pouvoir reproduire, un son ou une mélodie qu'il ne possède pas dans sa langue maternelle. Nous voulons éviter que se fixent dès les premières semaines de mauvaises habitudes, qu'il devient de plus en plus difficile d'extirper et qui handicapent à tout jamais l'étudiant ou lui ôtent le goût de l'étude.

Nous souhaitons éveiller ou développer chez le professeur une attention phonétique qui lui permette de donner à ses élèves de bonnes habitudes d'audition et de phonation. Ces deux aspects sont indissociablement liés et se conditionnent mutuellement. Il ne s'agit pas en effet de faire prononcer tous les élèves comme des Français mais, en leur faisant dire des ensembles sonores tirés de la variété de français parlé proposée comme modèle, de leur permettre de mieux entendre et vice versa.

Nous désirons attirer l'attention du professeur sur les particularités de sa propre prononciation, lui montrer comment fonctionne et se réalise le système décrit et comment il s'oppose à celui de la langue maternelle des élèves. Car le professeur doit rester conscient de ce qu'il prononce, comme des mots et des formes grammaticales qu'il emploie. Il doit aussi connaître l'obstacle auquel il se heurte constamment : les automatismes profondément enracinés chez l'élève par des années de pratique de sa propre langue.

L'enseignement phonétique doit être intégré à la classe de langue. Tout est question de dosage. Mais, quelle que soit la méthode utilisée, la phonétique aura ses exigences, non seulement pour les débutants mais à tous les stades : elle finira par devenir diction.

Cet ouvrage ne prétend pas être un manuel complet de phonétique. Il convient de le considérer comme une brève introduction à la phonétique corrective. Un minimum d'explications théoriques doit permettre au professeur non prévenu de comprendre et d'utiliser les recettes et les exercices proposés. Ces pages constituent aussi une introduction aux recueils d'exercices fondés sur l'analyse phonologique comparative du français et de chacune des grandes langues dont le B.E.L. a entrepris la réalisation.

Les termes techniques ont été évités dans une large mesure, même au risque de légères imprécisions. Les explications veulent être simples et limitées à l'essentiel.

Cet ouvrage veut donc être un outil pratique pour le professeur de français plus qu'un manuel incitant à la spécialisation.

Guy CAPELLE,
Directeur du Bureau d'étude et de liaison
pour l'enseignement du français dans le monde

réalise le système décrit et comment il s'oppose à celui de la langue maternelle des élèves. Car le professeur doit rester conscient de ce qu'il prononce, comme des mots et des formes grammaticales qu'il emploie. Il doit aussi connaître l'obstacle auquel il se heurte constamment : les automatismes profondément enracinés chez l'élève par des années de pratique de sa propre langue.

L'enseignement phonétique doit être intégré à la classe de langue. Tout est question de dosage. Mais, quelle que soit la méthode utilisée, la phonétique aura ses exigences, non seulement pour les débutants mais à tous les stades : elle finira par devenir diction.

Cet ouvrage ne prétend pas être un manuel complet de phonétique. Il convient de le considérer comme une brève introduction à la phonétique corrective. Un minimum d'explications théoriques doit permettre au professeur non prévenu de comprendre et d'utiliser les recettes et les exercices proposés. Ces pages constituent aussi une introduction aux recueils d'exercices fondés sur l'analyse phonologique comparative du français et de chacune des grandes langues dont le B.E.L. a entrepris la réalisation.

Les termes techniques ont été évités dans une large mesure, même au risque de légères imprécisions. Les explications veulent être simples et limitées à l'essentiel.

Cet ouvrage veut donc être un outil pratique pour le professeur de français plus qu'un manuel incitant à la spécialisation.

Guy CAPELLE,
Directeur du Bureau d'étude et de liaison
pour l'enseignement du français dans le monde

PHONÉTIQUE CORRECTIVE

INTRODUCTION

L'objet de cet opuscule est d'initier aux problèmes les plus urgents de la correction phonétique. On a fait trop souvent un épouvantail de cette discipline, considérée comme une science rébarbative parce qu'assimilée tantôt à l'étude philologique des « textes anciens du programme de licence », tantôt aux recherches impressionnantes des acousticiens de la parole. Parfois aussi a-t-on considéré la phonétique avec le sourire amusé du spectateur devant la leçon du maître de philosophie de M. Jourdain.

Précisons donc tout de suite que l'étude de la prononciation n'a que peu de chose à voir avec la philologie ou la phonétique expérimentale. Cette étude est également très différente de l'orthoépie, ou ensemble des règles de prononciation. Dire que le *c* latin est devenu *ch* en français, que le locus du *t* est plus élevé que celui du *p* et même que le « *e* accentué en syllabe fermée est toujours ouvert », tout cela ne résoud pas la question essentielle de l'apprentissage de la prononciation.

Cet apprentissage de la prononciation doit s'intégrer à la classe normale de français à l'étranger, parce qu'il conditionne l'acquisition linguistique, dans ses deux aspects essentiels. Le premier, le plus important, est celui de la compréhension orale. Le second est celui de l'expression orale.

I

COMPRÉHENSION AUDITIVE

Le professeur de français lutte sans cesse et souvent triche avec la compréhension auditive. Les *dictées* sont des illustrations constantes des déficiences phonétiques des étudiants. Après un bon entraînement audio-oral, on voit disparaître des fautes comme :

« Ils sont finis » au lieu de « ils ont fini » ;
« Il prend leur café » au lieu de « ils prennent leur café » ;
« Il est à bout » au lieu de « il est à vous », etc.

Pour éviter ce genre de fautes, le professeur ralentit, décompose, arrive à la prononciation artificielle d'un Topaze, et le jour où l'étudiant entend un débit conversationnel *normal*, il est perdu. Il risque, si les déformations ont été exagérées, de prendre des habitudes artificielles en parlant et d'ajouter à son accent l'impression d'artifice complet : prononciation de tous les *e* muets, de toutes les liaisons (même interdites), etc.

Il est donc important, si on ne veut pas user de ces tricheries néfastes, de donner à la prononciation le soin que son étude mérite, *dès le début de l'apprentissage de la langue*. De multiples phrases comme celles signalées ci-dessus, ne se différencient, en français, que par l'*opposition* de deux voyelles ou de deux consonnes presque semblables.

EXEMPLES : « *Ils sont finis* » / « *Ils ont fini* » : même consonne, mais la première est sans vibration des cordes vocales.
« Il *prend* leur café » / « Ils *prennent* leur café » : voyelle nasale dans la première phrase et voyelle orale suivie de consonne nasale dans la deuxième phrase.

« Il est à *b*out » / « Il est à *v*ous » : consonne articulée avec les deux lèvres dans la première phrase, avec la lèvre inférieure contre les dents supérieures dans la deuxième phrase.

Ces quelques exemples montrent, d'une part que la reconnaissance des sons est indispensable à la compréhension linguistique (donc également à la transposition graphique) et, d'autre part, combien un enseignement qui partirait uniquement d'un système écrit est dangereux. Car dans une phrase écrite les marques, comme celles du pluriel, abondent généralement. Il est facile de distinguer immédiatement entre « voilà le livre que j'ai choisi » et « voilà le*s* livre*s* que j'ai choisi*s* », à la lecture. Le pluriel est marqué trois fois dans la seconde phrase. Au contraire, à l'audition, l'*information* sur le nombre n'est donnée que par la seule prononciation de la voyelle dans *le* ou *les*. Les exemples de ce genre prouvent tous la difficulté de la langue orale par rapport à la langue écrite lorsqu'il s'agit de la *compréhension*. Il importe donc d'insister beaucoup sur l'aspect *oral* de l'enseignement.

2

EXPRESSION ORALE

L'identification auditive des sons serait de peu d'utilité si l'on n'apprenait pas, en même temps, à les éprouver soi-même musculairement. Les exercices de prononciation et l'explication des mécanismes phonétiques aident à acquérir le sens auditif adéquat dans une langue étrangère.

Cependant, il ne faut pas se contenter de reconnaître et de reproduire des *sons isolés*. **Chaque langue en effet utilise un petit matériel sonore qu'il est relativement facile d'apprendre. Mais les difficultés commencent avec *l'utilisation de ce matériel sonore selon des habitudes articulatoires, rythmiques, mélodiques et linguistiques particulières.***

Un Anglais pourra très bien savoir prononcer séparément *m*, *a*, *d*, *a*, *m*, et dire *madame* comme *mad-an* avec la voyelle finale nasalisée, car en anglais il a tendance à séparer autrement les syllabes, à ne pas ouvrir la bouche en finale, et à ne pas s'inquiéter de la différence entre une voyelle nasalisée ou non nasalisée. Le mot *ham* en anglais prononcé, avec ou sans voyelle nasalisée, est toujours compris. En français, *dans* ne se prononce pas comme *dame*.

Il y a là toute une série de mécanismes dont l'étude dépasse de loin l'acquisition des sons isolés. Cette étude, il est possible de l'intégrer dans la classe la plus traditionnelle. Elle est indispensable dès le stade des débutants.

Nous commencerons cette étude par l'examen des premiers obstacles à la compréhension, qui concernent surtout l'articulation (chap. I). Chaque son sera décrit par rapport au son le plus voisin, et le plus important pour la langue. Ainsi *p* sera étudié par rapport à *b*, à *f* et à *v*, parce que ce sont quatre consonnes articulées avec les lèvres. Certains étrangers ne les distinguent pas de la même manière, tels un Arabe, un Pakistanais, un Espagnol et un Allemand.

Nous étudierons ensuite *l'organisation phonétique* et *linguistique* de ces sons dans le système du français, en allant de la syllabe au groupe et du groupe à la phrase (chap. II). On verra alors que si l'on veut dépasser le stade du minimum nécessaire à la compréhension et atteindre une perfection plus grande, il faut rechercher soigneusement tous les facteurs d'accent étranger (1). Ces facteurs varient avec chaque langue, mais les *traits phonétiques généraux* du français restent évidemment les mêmes. Ce sont eux qui seront le point de départ de toute comparaison ultérieure et nous les décrirons spécialement.

Au terme des exercices de prononciation que nous aurons suggérés ici, nous croyons que les étudiants seront mieux préparés à aborder l'étude des valeurs stylistiques du français. L'étude du rythme, de la mélodie, de l'harmonie d'un texte ne peut être effectuée que lorsqu'on a pris conscience des beautés formelles de la langue et de ses moyens d'expression orale.

Nous nous sommes tenus à l'aspect ***correctif*** de la prononciation. Nous avons donc évité l'emploi d'une terminologie trop savante. Néanmoins, il est des termes que tout professeur doit connaître et qu'il est bon d'apprendre, sous peine de passer pour ignorant, mais aussi pour éviter l'emploi de périphrases. Nous décrirons la prononciation, non dans le but de donner la réalité exacte et précise de la phonétique expérimentale, mais pour montrer sur le plan pédagogique et linguistique le travail de *correction* à effectuer.

Nous avons adopté un plan rigide, qui ne reflète pas l'enchevêtrement de tous les problèmes ainsi qu'ils se présentent dans la réalité. Mais il nous a semblé utile de procéder de la manière la plus analytique possible, allant du simple au complexe et du plus important au secondaire, présentant ainsi un répertoire des difficultés qu'un professeur est susceptible d'avoir à résoudre. Nous laissons le soin à chaque professeur de faire la synthèse des différents points étudiés, selon les besoins de sa classe. Pour ceux qui désireraient trouver des leçons toutes faites, on a préparé des *Exercices systématiques*, accompagnés d'un plus grand nombre de « recettes pratiques » (2).

Le professeur déjà chevronné trouvera sans doute l'ensemble de cette *Introduction à la phonétique corrective* quelque peu lent et redondant. C'est à dessein que nous avons procédé ainsi, pensant qu'il était bon d'aller pas à pas et de revenir aussi souvent que possible sur les points importants, s'il reste vrai qu'enseigner c'est aussi répéter.

---

1. Nous ne pourrons ici qu'esquisser quelques comparaisons avec certaines langues bien connues.
2. Monique LÉON. *Exercices systématiques de prononciation française. Phonémique et phonétique*. Paris, Hachette et Larousse, 1964.

CHAPITRE I

Les sons isolés du système phonique

Il importe de prendre conscience de la réalité *orale* de la langue par rapport à l'état archaïque du système orthographique (le système français représente à peu près l'état de la prononciation du XIIe siècle!). *Le français n'a pas seulement 5 voyelles et un y mais un système de 16 voyelles.* Parmi ces 16 voyelles une dizaine sont *indispensables* à la communication entre tous les Français. Les autres situent des variétés régionales, dialectales ou individuelles de français. On ne peut entreprendre la correction phonétique d'un étranger, que si l'on connaît bien tous les éléments de base (voyelles et consonnes), dont il dispose par rapport à ceux du français. Nous examinerons donc graduellement quelques types de *systèmes* vocaliques et consonantiques étrangers qui nous feront mieux comprendre le nôtre. Nous distinguerons d'abord les sons essentiels comme les voyelles des mots français : *si, su, sous, ces, ceux, sot, sa, sain, sans, sont...* dont aucune ne peut se substituer à une autre sans changer le sens du mot, pour arriver à des subtilités réelles mais secondaires, telle la différence entre j'*ai* et j'*aie*...

A. LES VOYELLES

I

VOYELLES DE BASE (3 VOYELLES)

Certaines langues ne possèdent que 3 voyelles (l'esquimau par exemple et l'arabe classique).[1] Ces 3 voyelles se retrouvent dans toutes les langues du monde[2]. Ce sont *i*, comme dans le français, *si*; *ou*, comme dans le français, *sous*; *a*, comme dans le français, *sa*.

---

1. Pour l'arabe classique, il faut noter que les 3 voyelles de base, *i*, *a*, *ou*, forment un système plus compliqué puisqu'elles peuvent être longues ou brèves avec des valeurs sémantiques différentes.

2. Il est bien évident que ces 3 voyelles représentent un *type vocalique approximatif* dont la réalisation peut être différente selon chaque langue. Un *i* arabe n'a pas besoin d'être aussi précis qu'un *i* français puisqu'il importe seulement de le différencier de *a* et de *ou*, alors que le *i* français doit être différent du *é* et du *u*, par exemple.

Acoustiquement, on peut classer ainsi ces 3 voyelles :

Voyelle aiguë	***Voyelle intermédiaire***	***Voyelle grave***
i	**a**	**ou**

Physiologiquement, on peut schématiser ainsi leur articulation :

Voyelle antérieure (langue avancée)	*Voyelle moyenne*	*Voyelle postérieure* (langue reculée)
i	**a**	**ou**

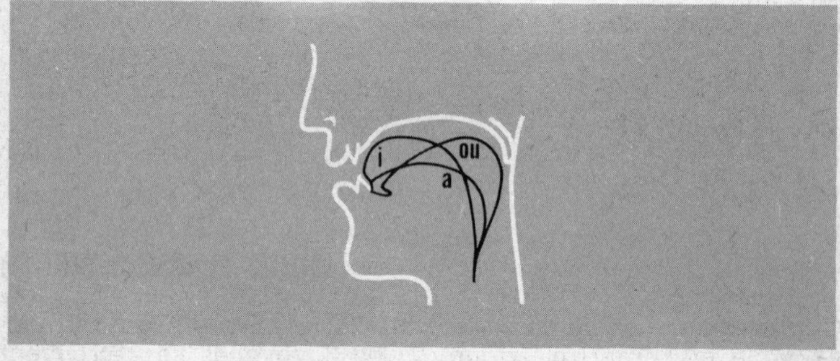

1. Les trois voyelles de base : *i, ou, a.*

Il faut noter en outre que *i* et *ou* sont des **voyelles *fermées,*** c'est-à-dire articulées avec la langue très rapprochée du palais, dans une position qui ***ferme*** presque le passage de l'air.
Au contraire, *a* est une **voyelle *ouverte,*** c'est-à-dire articulée avec la langue très écartée du palais, dans une position qui ***ouvre*** largement le passage de l'air.

On peut donc résumer ainsi les caractères acoustiques et physiologiques de ces 3 voyelles :

TABLEAU I

Voyelles de base

i	- aiguë - antérieure - fermée	**ou**	- grave - postérieure - fermée
a	- intermédiaire - moyenne - ouverte		

2

VOYELLES DE LA PLUPART DES LANGUES TYPE SYSTÈME ESPAGNOL (5 VOYELLES)

La plupart des langues ont un système de 5 *voyelles* (beaucoup de langues d'Asie, comme le japonais, et d'Afrique, comme certains dialectes arabes et, en Europe, des langues comme le tchèque, le serbo-croate, le russe, le grec ou l'espagnol). Ces voyelles sont les 3 voyelles de base *i*, *a*, *ou*, auxquelles s'ajoutent *é*, comme dans le français *ses*, et *o*, comme dans le français *seau*[1].

On peut donc schématiser ainsi le système des langues à 5 voyelles.

TABLEAU II

Système d'oppositions à 5 voyelles

i	- aiguë - antérieure - fermée	**ou**	- grave - postérieure - fermée
é	- aiguë - antérieure - moins fermée que *i*	**o**	- grave - postérieure - moins fermée que *ou*
a	- intermédiaire - moyenne - ouverte		

1. Le timbre de ces deux dernières voyelles est en réalité beaucoup plus nettement caractérisé en français. On sait qu'en français le é de *thé* est généralement différent du ê de *tête*, alors que dans les langues qui n'ont que les 5 voyelles *i*, *e*, *o*, *a*, *ou*, le e est souvent moyen et parfois nettement comparable au ê de *tête* plutôt qu'à celui de *ses*, dans les langues slaves surtout. Mais nous ne donnons pour le moment que des points de repère qui seront précisés au fur et à mesure de l'exposé.

3

PREMIÈRE ORIGINALITÉ DU SYSTÈME VOCALIQUE FRANÇAIS LES VOYELLES ANTÉRIEURES ARRONDIES (OU LABIALES) : TYPES U ET EU

u A côté de la voyelle antérieure *i*, comme dans *si*, le français possède une voyelle *aiguë* (moins aiguë), *antérieure* (moins antérieure). C'est la voyelle *U*, comme dans *su*. Cette voyelle est *arrondie*, c'est-à-dire articulée avec les lèvres projetées en avant. On l'appelle encore voyelle *labiale*.

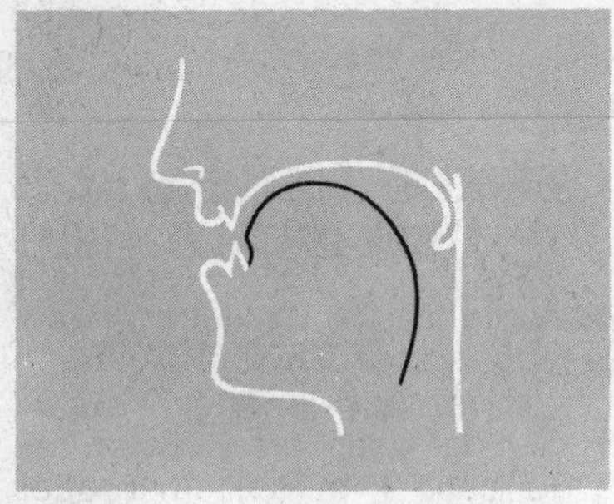

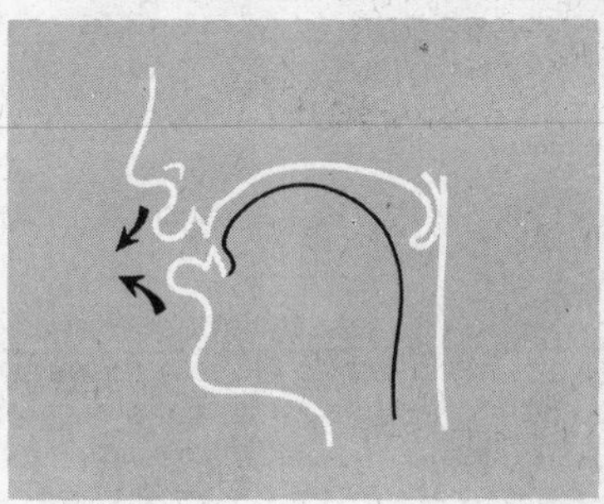

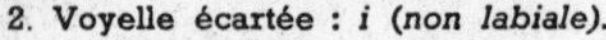

2. Voyelle écartée : *i* (*non labiale*). **3. Voyelle arrondie : *u* (*labiale*).**

eu A côté de la voyelle *aiguë*, antérieure, *é*, comme dans *ces*, le français possède une voyelle beaucoup *moins* aiguë, *encore un peu antérieure* : *EU* comme dans *ceux*. Cette voyelle est *arrondie*, c'est-à-dire articulée avec les lèvres projetées en avant, comme pour le *u*.

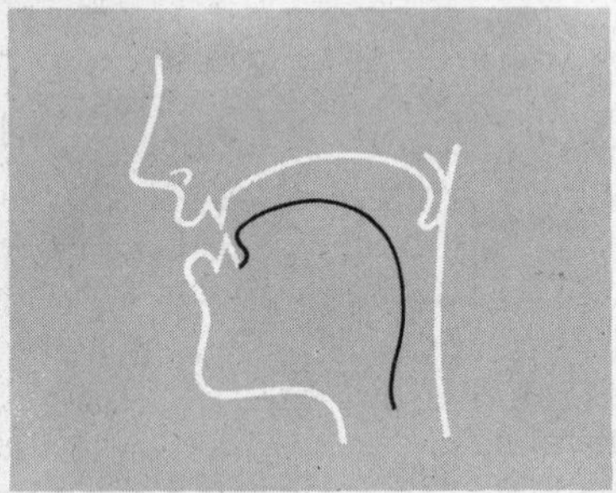

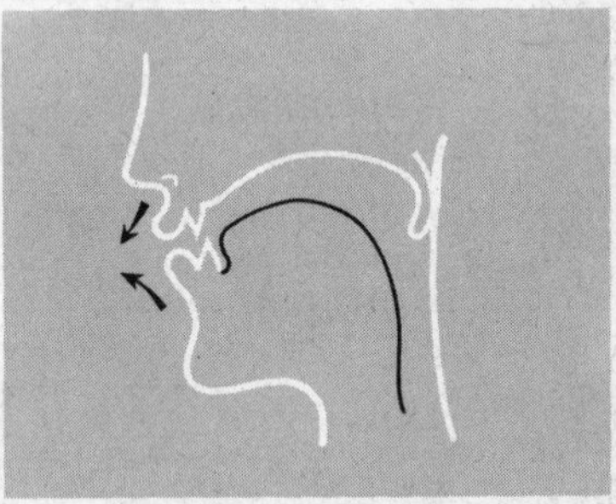

4. Voyelle écartée : *é*. **5. Voyelle arrondie : *eu*.**

REMARQUE. — Il y a peu de langues qui aient des voyelles du type antérieur labial. Il faut noter cependant, entre autres, l'allemand, le danois, le suédois, le hollandais, le hongrois, le turc... Mais c'est le français qui a la plus forte labialité.

4

SYSTÈME DES OPPOSITIONS VOCALIQUES FONDAMENTALES DU FRANÇAIS

Toutes les voyelles qu'on vient de définir ci-dessus, ***i, é, a, o, ou, u*** **et** ***eu,*** **constituent l'essentiel des voyelles dites orales.** L'air utilisé passe uniquement par la bouche. C'est la base du système des oppositions vocaliques du français, nécessaire à un minimum de compréhension linguistique. On a classé ces voyelles, en récapitulant leurs caractéristiques articulatoires et acoustiques, dans le tableau suivant.

TABLEAU III

Système des oppositions vocaliques fondamentales du français

<table>
<tr><td></td><td colspan="4">Voyelles antérieures
(aiguës)</td><td colspan="2">Voyelles postér.
(graves)</td></tr>
<tr><td></td><td colspan="2">Ecartées
(très antérieures et aiguës)</td><td colspan="2">Arrondies
(moins antérieures et moins aiguës)</td><td colspan="2">Arrondies
(très postérieures et graves)</td></tr>
<tr><td>Très fermées</td><td>i</td><td>si</td><td>u</td><td>su</td><td>ou</td><td>sous</td></tr>
<tr><td>Moins fermées</td><td>é</td><td>ces</td><td>eu</td><td>ceux</td><td>o</td><td>seau</td></tr>
<tr><td>Très ouverte</td><td colspan="6">Voyelle moyenne
(écartée et intermédiaire)
a sa</td></tr>
</table>

REMARQUE. — Il faut noter que les voyelles postérieures françaises sont *arrondies*. Les lèvres sont très avancées pour les prononcer. Par contre, on voit que le français ne possède pas de voyelles postérieures écartées comme le japonais (qui ne possède qu'une série de voyelles postérieures toutes écartées) ou l'anglais, l'allemand et le turc qui ont des voyelles postérieures arrondies (moins qu'en français) et d'autres écartées. Cependant, on verra plus loin qu'il existe un *a* postérieur français qui pourrait être classé comme une voyelle à la fois postérieure et légèrement arrondie.

Le tableau III donne le système fondamental des voyelles *orales* du français. (Voir ci-dessous, § 5, la définition des voyelles *nasales.*) Ce système vocalique des voyelles orales est sensiblement celui qui est commun à tous les types de français, le français standard et les français régionaux. Le français méridional s'arrête *approximativement* (1) à ce stade du vocalisme qui est indispensable à la communication linguistique entre sujets francophones. Les autres français régionaux et évidemment le français standard possèdent un système plus complet qui comprend d'abord des voyelles dites *nasales.*

5

VOYELLES NASALES

Avec le portugais (du Portugal et du Brésil) et le polonais, le français est une des rares langues de culture à opposer, pour la communication linguistique, des voyelles *nasales* aux voyelles *orales.*

On appelle voyelle « orale », une voyelle pour laquelle l'air expiré passe uniquement par la bouche. Une voyelle est dite « nasale », *quand l'air expiré passe par la bouche* et un peu *par le nez. Les voyelles « nasales » sont très peu nasalisées en français.*

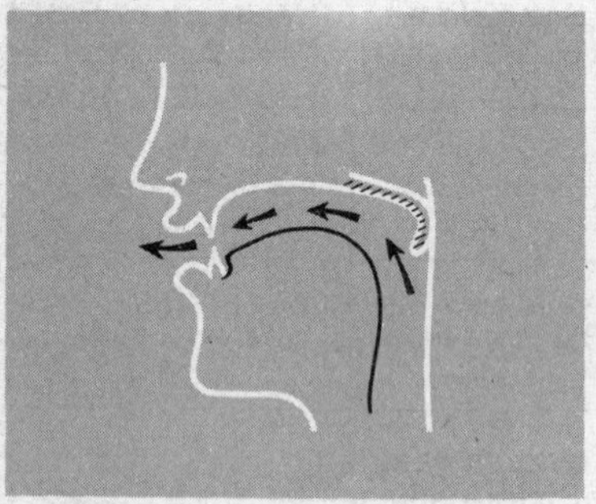

6. Type de voyelle orale : le *ai* de *vais.* (*Voile du palais, en noir, relevé.*)

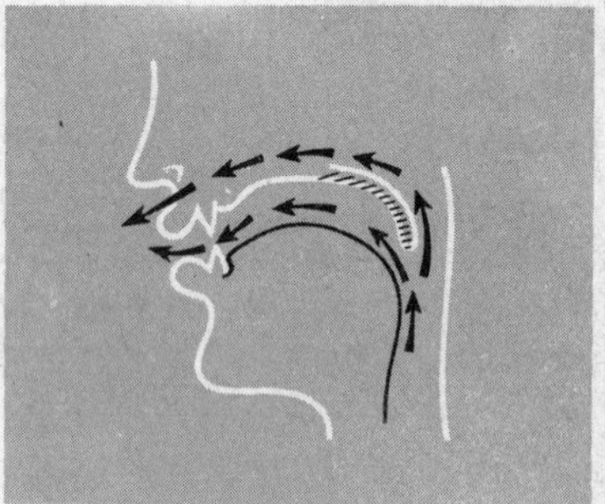

7. Type de voyelle nasale : le *in* de *vin.* (*Voile du palais abaissé.*)

REMARQUE. — Le palais se divise en deux parties : le palais dur et le palais mou, ou voile du palais, qui est mobile. On peut le sentir en arrière du palais dur.

Le français a 3 voyelles nasales essentielles à la communication. Ce sont : *in*, comme dans *vin; en*, comme dans *vent; on*, comme dans *vont.*

1. En réalité, le français méridional a des voyelles nasalisées suivies d'appendice nasal consonantique (plus ou moins net), qui fonctionnent, pour la compréhension, comme les voyelles nasales du français standard.

Les voyelles nasales françaises sont pures : en français standard, elles ne sont jamais prononcées avec une consonne nasale (m, n, ou gn) à la fin de la syllabe à laquelle elles appartiennent. (C'est seulement le cas pour le français méridional).

On peut classer ainsi les voyelles nasales françaises, par rapport aux voyelles orales correspondantes :

TABLEAU IV

Voyelles nasales essentielles et voyelles orales correspondantes

	Voyelles antérieures écartées (aiguës)	*Voyelles moyennes écartées* (intermédiaires)	*Voyelles postér. arrondies* (graves)
Orales	**é** *vais*	**a** *va*	**o** *veau*
Nasales	**in** v*in*	**en** v*ent*	**on** v*ont*

6

SYSTÈME VOCALIQUE ESSENTIEL A LA COMPRÉHENSION POUR LE FRANÇAIS STANDARD (SYSTÈME PHONÉMIQUE)

Le système vocalique minimum, indispensable à toute communication linguistique est appelé *système phonémique*, parce qu'il concerne essentiellement les phonèmes, qui sont les sons nécessaires et suffisants à la compréhension (voir p. 17).

TABLEAU V

Système des oppositions vocaliques essentielles

i *si*	**u** *su*		**ou** *sous*
é *ses*	**eu** *ceux*		**o** *seau*
in v*in*			**on** v*ont*
		a *vas*	
		an v*ent*	

REMARQUE. — On appelle *français standard*, le type de français parlé par les bons speakers de la radio nationale. C'est le modèle qui se répand aujourd'hui dans toute la France (1).

7

COMMUNICATION LINGUISTIQUE ET PERFECTION PHONÉTIQUE DES VOYELLES

Le tableau V représente, pour les voyelles du français, des sons types, essentiels, que tout professeur doit exiger de ses élèves. Est-ce à dire que ce sont là des sons qu'on doit enseigner à l'exclusion de tout autre ? Est-ce à dire que le professeur de français doit supprimer les distinctions qu'il fait d'ordinaire entre le *E* de th*é* et celui de t*ê*te, entre le *O* de be*au* et celui de b*o*l, etc. ?

Non, bien sûr ! Mais l'élève étranger qui ne distingue pas dans sa langue le *é* de *ses* du *eu* de *ceux*, ou du *o* de *seau*, aura toutes les chances de distinguer encore moins aisément le *é* de thé, du *ê* de t*ê*te, ou le *é* de j'*ai*, du è de j'*aie*.

Il y a donc dans la correction de la prononciation un ordre de priorité à respecter, en commençant par les sons qui ont une fonction linguistique : celle de distinguer deux mots différents tels que *des* et *deux* ou deux notions grammaticales différentes telles que j'*ai* fini et j*e* finis.

C'est peu à peu, à mesure que la perception des sons nouveaux se consolidera, qu'on devra exiger davantage et passer de l'étape phonémique (minimum pour la communication) à l'étape suivante, qui sera phonétique (maximum de correction de la prononciation).

8

NUANCES PHONÉTIQUES : VOYELLES A PLUSIEURS TIMBRES

Certaines voyelles présentent des nuances — que ne respectent pas tous les Français — mais qui constituent l'originalité du français standard.

Parmi les voyelles orales, les voyelles *É*, *EU*, *O*, *A* peuvent présenter les variations de timbre suivantes : fermé, ouvert, moyen, antérieur, postérieur.

---

1. Voir P. R. LÉON, *Prononciation du Français Standard*, Paris, 1966.

Rappelons qu'on appelle : *fermée* une voyelle pour laquelle le passage de l'air expiré est étroit (la langue se rapproche du palais); *ouverte* une voyelle pour laquelle le passage de l'air expiré est plus ouvert; *moyenne*, entre fermée et ouverte ; *antérieure* une voyelle pour laquelle la langue est plus avancée ; *postérieure* une voyelle pour laquelle la langue est plus reculée.

Pour les trois voyelles *É*, *EU*, *O*, les timbres changent selon le degré d'*aperture* (ouvert ou fermé). On peut avoir deux timbres pour *É* et *O* et trois timbres pour *EU*, qu'on peut illustrer ainsi :

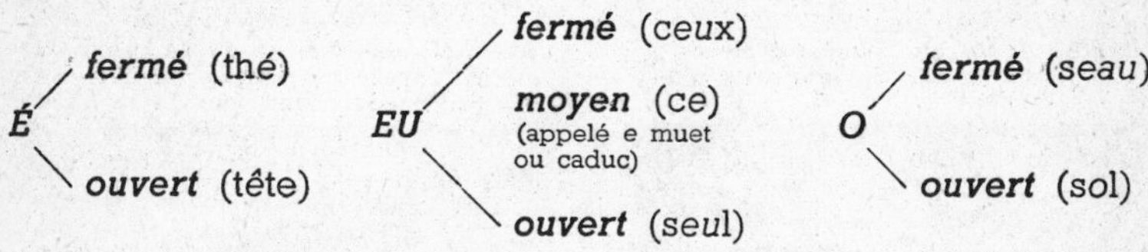

Pour la voyelle *A*, il s'agit surtout d'un déplacement antérieur ou postérieur de la langue.

A ***antérieur*** (patte) — A ***postérieur*** (pâte)

Notons que l'*E* moyen (appelé encore *muet*, caduc, instable...) de *ce*, par exemple, est très proche du son *eu* ouvert d'un mot comme *seul*, sauf lorsqu'il se trouve en finale prononcée. Ce dernier cas est assez exceptionnel. Il se produit dans le pronom *le*, dans *prends-le*, par exemple.

La distinction entre les deux *A* tend à disparaître au profit du seul *a* antérieur; l'opposition de ces deux voyelles n'a plus guère de valeur linguistique en dehors de quelques mots comme *patte* et *pâte*. A la distinction de timbre s'ajoute une différence de longueur; le *a* postérieur étant toujours le plus long (si les conditions phonétiques sont les mêmes pour les 2 voyelles).

Les figures 8 à 11, ci-après, schématisent l'orthodiagramme des voyelles orales à plusieurs timbres. Les figures 12 à 15 schématisent l'orthodiagramme des quatre voyelles françaises. (1)

---

1. Pour simplifier les schémas, on a représenté une seule position de la mâchoire par figure. En réalité, à une position plus basse de la langue correspond une position plus écartée de la mâchoire.

9

ORTHODIAGRAMME DES VOYELLES FRANÇAISES

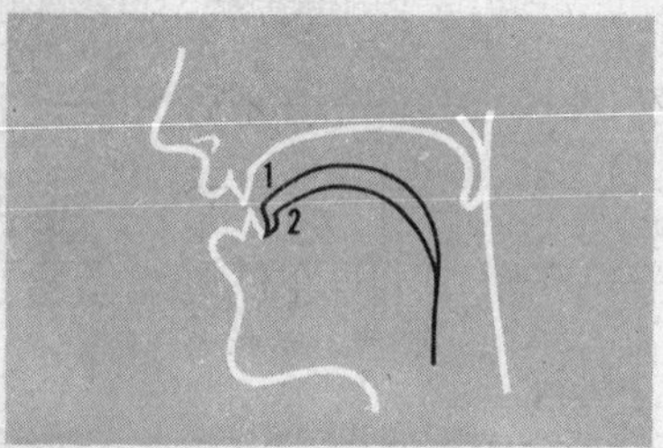

8 - 1. Voyelle fermée é de *thé* ;
2. Voyelle ouverte é de *tête*.

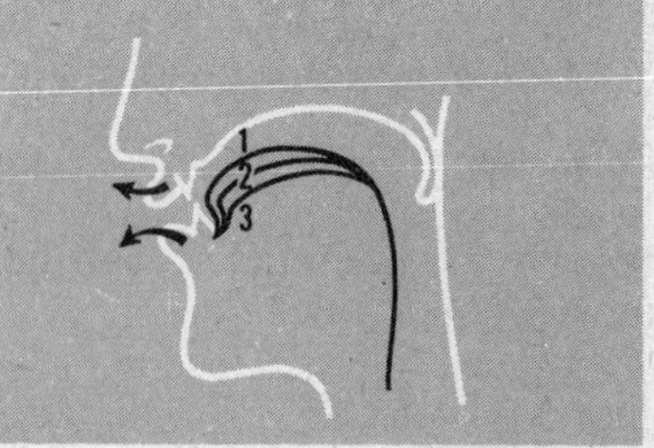

9 - 1. Voyelle fermée *eu* de *ceux*;
2. Voyelle moyenne *e* de *ce*;
3. Voyelle ouverte *eu* de *seul*.

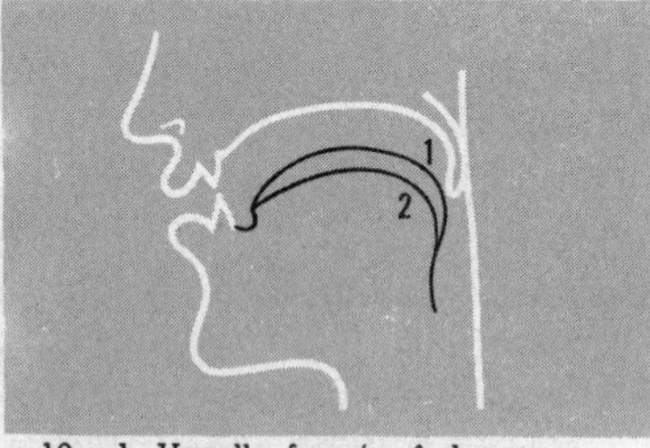

10 - 1. Voyelle fermée ô de *seau*;
2. Voyelle ouverte *o* de *sol*.

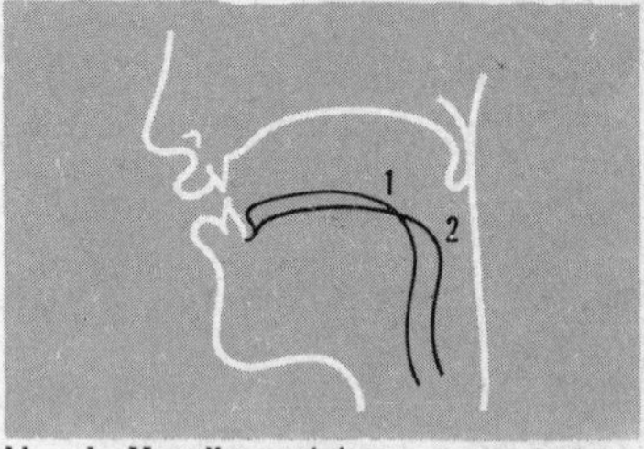

11 - 1. Voyelle antérieure a de *patte*;
2. Voyelle postérieure *a* de *pâte*.

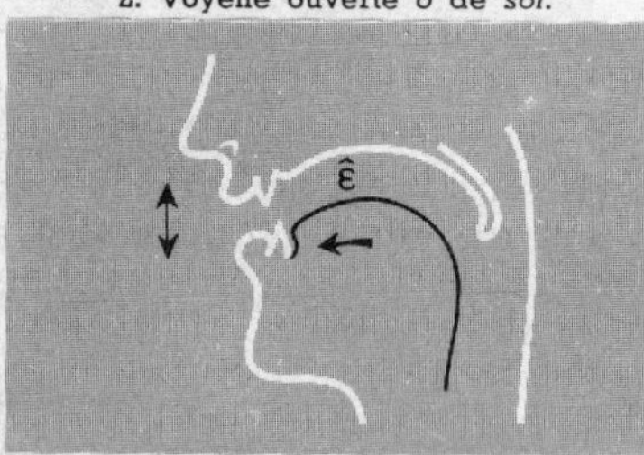

12 - Voyelle nasale *in* (écartée ouverte et antérieure).

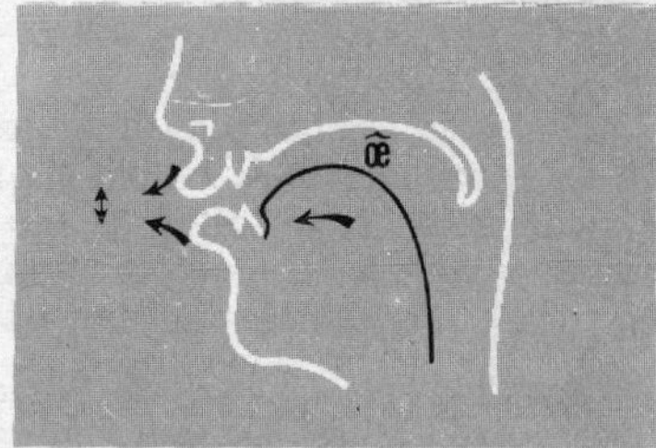

13 - Voyelle nasale *un* (arrondie, un peu moins ouverte que *in* et antérieure).

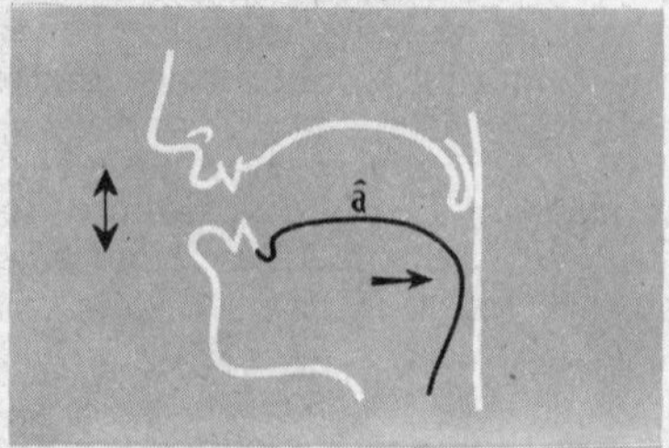

14 - Voyelle nasale *an* (écartée, moins que *in*, ouverte et très postérieure).

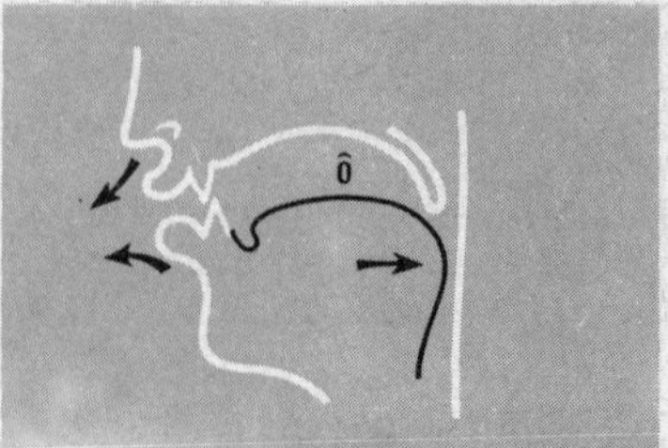

15 - Voyelle nasale *on* (arrondie, plus que *un*, très fermée et très postérieure).

Parmi les voyelles nasales, on trouve une autre nuance de timbre, celle qui existe entre le *in* de v*in* et le *un* de *un*, l*un*di, parf*um*...

La voyelle *un* est *arrondie*, les lèvres sont avancées pour la prononcer et la langue est à peu près dans la même position que pour *in*. Mais la voyelle *un* disparaît du français, même chez des gens très cultivés. Elle est par contre encore très nettement caractérisée dans certaines provinces françaises. Sur le plan linguistique, la différence entre *in* et *un* n'a pratiquement aucune valeur.

REMARQUE. — Certaines langues comme le danois, le hollandais, l'allemand ont également des voyelles à double timbre ouvert et fermé analogue aux timbres français (quoiqu'un peu différents). Le catalan et l'italien ont deux E et deux O.

10

REPRÉSENTATION ORTHOGRAPHIQUE OU PHONÉTIQUE DES VOYELLES

En se référant à des mots courants du français, on peut n'employer que des signes graphiques connus pour *représenter les sons à enseigner*, comme nous l'avons fait jusqu'ici.

On peut s'en tenir là au stade des débutants, en utilisant deux possibilités :

a) Employer des mots de même structure, autant que possible, et différenciés seulement par le changement de la voyelle.

EXEMPLE : *si* / *su* / *sous* / *ces* / *ceux* / *ce* / etc.

b) Employer des *mots clefs* suffisamment picturaux et représentatifs dont on se servira sans cesse comme point de référence.

EXEMPLE : *scie* (dessin ou geste de scier...); *dé* (dessin, geste de jouer avec des dés...); *deux* (chiffre écrit, geste de compter sur les doigts...).

Chaque faute d'un élève est reprise immédiatement ainsi. Il a dit : *dé* (geste de jouer aux dés, mimique montrant les lèvres écartées) au lieu de *deux* (geste avec les doigts, 1, 2, mimique montrant les lèvres avancées).

Avec ce second système, on peut se dispenser d'écrire le signe graphique. Ce sera une sage prudence au début et l'idéal serait d'employer une méthode résolument audio-orale.

On peut utiliser une autre technique pour représenter les sons, surtout avec des adultes et lorsqu'on atteint le stade proprement phonétique (perfection) de la correction. C'est *l'emploi de signes phonétiques*. En effet, si l'on enseigne que le *ê* de tête, avec un accent circonflexe, est ouvert, on est embarrassé pour enseigner au contraire que le *ô* de *cô*te, avec accent circonflexe, est fermé, car d'un côté l'accent circonflexe symbolise une voyelle ouverte et de l'autre une voyelle fermée. Il peut donc être utile de connaître les signes employés par l'*Association phonétique internationale* pour représenter les voyelles françaises. Voici la *liste de toutes les voyelles françaises* avec leur transcription phonétique et un *mot clef* pour les repérer.

TABLEAU VI

Voyelles françaises
avec leur représentation phonétique (1)

1. — *Voyelles orales*

1 - [i] comme dans sc*i*e
2 - [e] comme dans d*é*
3 - [ɛ] comme dans s*e*pt
4 - [a] comme dans t*a*ble
5 - [ɑ] comme dans *â*ne
6 - [o] comme dans v*eau*
7 - [ɔ] comme dans b*o*l
8 - [u] comme dans d*ou*ze
9 - [y] comme dans l*u*ne
10 - [ø] comme dans d*eu*x
11 - [ə] comme dans une f*e*nêtre
12 - [œ] comme dans fl*eu*r

2. — *Voyelles nasales*

13 - [ɛ̃] comme dans v*in*gt
14 - [œ̃] comme dans *un*
15 - [ɑ̃] comme dans c*en*t
16 - [õ] comme dans *on*ze

On peut également concevoir un enseignement audio-oral s'appuyant sur l'emploi systématique de la transcription phonétique, à l'exclusion de tout autre système de signes écrits. Mais pour des langues dont l'orthographe est très éloignée de celle du français (écriture arabe, cyrillique, etc.), c'est probablement une perte de temps.

---

1. Chaque fois qu'il s'agira de représenter un son par son symbole phonétique, il sera placé *entre crochets*.

15

PROCÉDÉS DE CORRECTION : VOYELLES ARRONDIES

sque la différence *ces* / *ce* ou *si* / *su*, par exemple, a été endue, identifiée sûrement, procéder alors en partant de la elle écartée de la même série horizontale. (Voir tableau VII.) tudiant possède sûrement la voyelle écartée dans sa langue. ntrer que *su* et *ce* ne sont que *si* et *ces* articulés avec les res avancées. Procéder par répétitions successives :

ces, ces, ces, ces,... / *ce*

en avançant progressivement un peu plus les lèvres chaque fois. S'appuyer toujours sur l'audition. Utiliser la tonalité, si c'est nécessaire, la voyelle labiale a un timbre plus grave.

Même exercice de *si* à *su*. Si l'étudiant passe à *sous*, repartir de *sous*, en faisant entendre que le timbre devient beaucoup plus aigu cette fois, pour atteindre *su*.

16

PROCÉDÉS DE CORRECTION : VOYELLES ANTÉRIEURES ET VOYELLES POSTÉRIEURES

Faire entendre la différence. Se référer au tableau VII, pour situer la faute dans la série horizontale (antérieure-postérieure). Si ***O*** a été prononcé au lieu de ***EU*** par exemple, partir, pour la correction, du son plus antérieur que ***EU***, dans la même série, c'est-à-dire le ***É***. Faire remarquer que ***EU*** c'est un ***É*** arrondi, que les deux sons sont aigus, par rapport à ***O***. (Noter bien que tout est affaire de point de vue correctif et que le son ***EU*** pourra au contraire être présenté comme grave et proche de ***O***, s'il s'agit de faire différencier ***É*** de ***EU***. On trouvera dans les *Exercices systématiques* des indications particulières pour les groupes linguistiques auxquels ces indications se réfèrent.)

Un autre exemple. Si la nasale *an* [ã] est prononcée comme ***IN*** [ɛ̃]. En se référant au tableau VII, on voit que [ã] est plus postérieur que [ɛ̃]. Pour la correction, il faut exagérer, partir d'un son plus postérieur encore, ce sera le ***ON*** [õ] — qui correspond à la voyelle orale ***O***. Si un mot comme *vent* est prononcé à peu près comme *vin*, on partira donc de [võ]. Si le résultat est carrément *vont*, revenir à [vɛ̃], comme point de départ. Se rappeler que la *labialisation* (l'arrondissement et la projection des lèvres) *favorise le recul de la langue*. (Une voyelle arrondie est toujours plus postérieure que la voyelle écartée correspondante.)

11

CLASSEMENT DE TOUTES LES VOYELLES DU SYSTÈME PHONÉTIQUE FRANÇAIS

Le tableau VII, ci-dessous, présente toutes les voyelles françaises avec les diverses possibilités de timbre de É [e ∼ ɛ], EU [ø ∼ ə ∼ œ], O [o ∼ ɔ], A [a ∼ ɑ], E [ɛ̃ ∼ œ̃]. Ces possibilités, rappelons-le, sont réalisées dans le français standard. Mais, même dans ce cas, tous les sujets parlants ne sont pas toujours d'accord. *On a donc placé dans un même cadre, dans le tableau VII*, toutes les voyelles qui peuvent varier d'un individu à un autre, ou d'une région à une autre. Ces voyelles susceptibles de varier, on les nommera des *variantes ;* ainsi [e] et [ɛ], [a] et [ɑ], etc. Tout le monde a entendu ainsi les variantes du é d'un mot comme *ticket*, prononcé tantôt avec un [e] fermé comme dans *été*, tantôt avec un [ɛ] ouvert, comme dans *tête*. De toute façon, la compréhension n'en est jamais affectée. Mais si on

TABLEAU VII

Système des oppositions vocaliques du français
Phonèmes et variantes

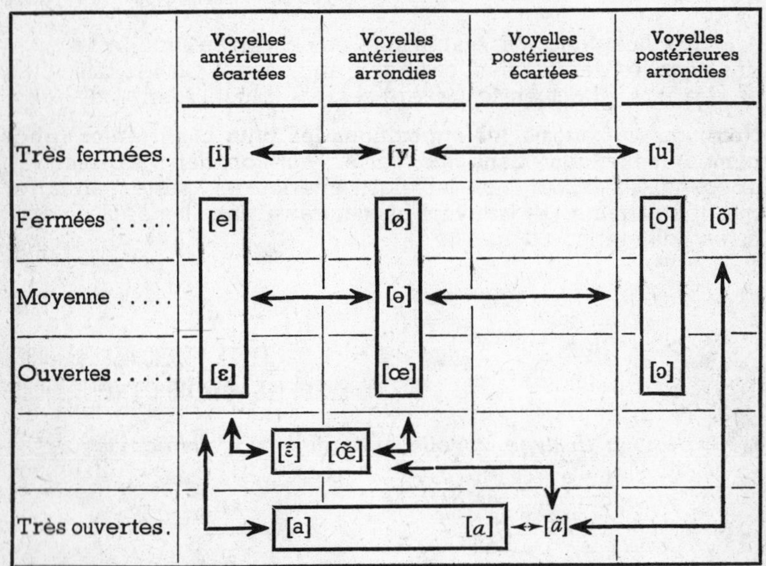

Les flèches représentent les oppositions par lesquelles il est le plus urgent de commencer la correction phonétique.

peut dire [tikɛ] ou [tike], on ne peut plus dire [tiki], [tika], [tiko], etc. Chaque fois que le sens change de cette manière, par suite de la commutation d'un son avec un autre, on dit qu'on a affaire à un *phonème*.

EN RÉSUMÉ, en consultant le tableau VII, on peut dire qu'il y a en français seize voyelles, dont dix sont des *phonèmes* essentiels à la compréhension linguistique. Ce sont [i], [y], [u], [õ], et [ɑ̃], qui n'ont qu'un seul timbre et cinq autres phonèmes qui peuvent se réaliser selon des *variantes phonétiques*, caractéristiques du français standard. Ce sont : E qui peut être [e] ou [ɛ], *EU* qui peut être [ø], [ə] ou [œ], *O* qui peut être [o] ou [ɔ], *A* qui peut être [a] ou [ɑ], Ẽ qui peut être [ɛ̃] ou [œ̃].

REMARQUE. — Il s'agit là d'une simplification pédagogique, car il est évident que dans des mots isolés tels que *dés/dès*, *jeûne/jeune*, *saule/sol*, *brin/brun*, *patte/pâte*, on a autant d'oppositions linguistiques (à valeur phonémique). Mais ce sont là, sauf peut-être pour le O, des cas rares et artificiels, puisque dans la réalité les mots isolés n'existent pratiquement pas.

12

APPLICATION PRATIQUE POUR LA CORRECTION DE LA PRONONCIATION DES VOYELLES

A l'aide du tableau VII, établir une comparaison avec le système des voyelles de l'étudiant étranger, afin de prévoir les difficultés et de faire effectuer les exercices les plus urgents d'abord.

Noter qu'en français, les oppositions les plus importantes (phonèmes) se situent dans les *séries horizontales* (tableau VII, oppositions labiales / non labiales, antérieures / postérieures) et que les *variantes* se trouvent au contraire dans les séries verticales (différences d'aperture).

13

TYPES D'EXERCICES PRATIQUES SUR LES VOYELLES (1) (PHONÉMIQUE)

● *Opposition du type voyelle arrondie / voyelle écartée :*

ce livre / ces livres
ce garçon / ces garçons
je dis / j'ai dit
je fais / j'ai fait...

1. Les exemples donnés sont extraits des *Exercices systématiques*.

● *Opposition du type voyelle postérieu*

je vaux / je veux
il vaut / il veut
un pot d'eau / un peu d'eau
un petit pot / un petit peu...

● *Opposition du type voyelle nasale / voyelle*

il vient / ils viennent
il tient / ils tiennent
un bon chien / une bonne chienne
un moyen difficile / une moyenne difficile...

PRINCIPES DE COR...
PROCÉDÉS DE CORRECTION ARTICULATOIR
ET PROCÉDÉS AUDITIF

Les procédés de correction phonétique concernant l'articulatio sont généralement très employés par les professeurs de phon tique. Avant d'utiliser ces procédés, il faut se rappeler qu' peut pratiquement produire n'importe quelle voyelle et b nombre de consonnes avec une articulation tout à fait différe de celle décrite habituellement. Le U et le EU par exem voyelles arrondies, avec les lèvres normalement projetée avant, peuvent très bien être produits avec les lèvres écart

La mimique articulatoire aide, bien sûr, et les articula décrites sont « idéales ». Il faut s'en servir, ne serait-ce comme points de repère pour les étudiants étrangers, **tant de compensations interviennent au niveau du larynx faut surtout compter sur l'*audition* dans la correction d'u**

Il faut faire souvent des tests auditifs. Les dictées qu'on p faire à l'aide des *Exercices systématiques* accompagn livre, habitueront les étudiants à *entendre les différences* les sons opposés qu'on leur présentera, et par là à les recon isolément. Quand il s'agira de les reproduire, les me ajustements s'effectueront *à l'oreille*. C'est pourquoi avoir à l'esprit les tableaux des sons que nous avons pr ci-dessus et où les sons apparaissent par séries non seu articulatoires, mais aussi acoustiques. Quoi qu'il en soit procédé, un « truc » ne réussit pas, il faut en tenter u qu'ils soient articulatoires ou auditifs, tous les moyens so pourvu qu'ils réussissent ! Nous donnons ci-dessous, d'exemple, quelques-uns des procédés qu'on peut e pour la correction des voyelles.

17

PROCÉDÉS DE CORRECTION : VOYELLES ORALES ET VOYELLES NASALES

Si une voyelle orale est nasalisée, c'est peut-être le résultat d'une habitude personnelle, plus ou moins pathologique, ou bien une caractéristique affectant tous les sons de la langue de l'étudiant — par exemple le « nasal twang » de certaines parties du Middle West aux Etats-Unis, la nasalité de certains Orientaux, etc. Il faut compter surtout sur l'oreille de l'étudiant pour cette correction. L'enregistrement au magnétophone lui fera prendre conscience de la faute. Celle-ci est due soit à un excès de tension des muscles du pharynx nasal, soit au contraire (cas le plus fréquent) à un relâchement général de toute l'articulation favorisant un abaissement du voile du palais. (Voir *Tension musculaire*, chap. II, p. 48). Travailler alors à créer une tension musculaire plus forte. Utiliser les consonnes *p*, *t*, *k*, qui font remonter le voile du palais. Faire dire avec force des syllabes commençant par ces consonnes. Le chant à voix haute et claire est aussi un bon exercice.

Mais le plus souvent, la nasalité est un phénomène d'assimilation dû au voisinage d'une consonne nasale. Il faut alors remplacer la consonne nasale par la même consonne orale correspondante, *m* par *b*, *n* par *d*, *gn* par *y* (*y* comme dans a*y*ez). Faire entendre la différence entre des mots comme *ai*de et h*ai*ne. La voyelle ne change pas en français. Utiliser la syllabation ouverte. (Voir ci-dessous, p. 59.) Faire dire *hai-ne*, en mettant *ne* dans une deuxième syllabe.

Si une voyelle n'est pas assez nasale, faire prendre conscience de la nasalité à l'aide des consonnes nasales *m*, *n* ou *gn*. Eviter que la voyelle produite ne soit trop nasale. Les voyelles nasales françaises sont très peu nasales. Partir de la voyelle orale correspondant à la nasale à obtenir. Par exemple, de *o* pour obtenir [õ]. Faire prolonger sur une même note la voyelle orale et en la continuant baisser d'un ou deux tons. **L'abaissement du ton dans le grave favorise la nasalisation.** Chaque fois qu'il s'agit de préciser le timbre d'une voyelle nasale, revenir au timbre oral correspondant.

Pour empêcher la production d'un appendice nasal consonantique après la voyelle nasale (à la façon des voyelles méridionales françaises, type [tõ-mbe] pour [tõbe]), **faire couper le mot en syllabes, de manière à terminer nettement sur la voyelle nasale.** Faire entendre, en prolongeant le son, qu'il ne change pas du début à la fin. Faire observer, à l'aide d'un miroir, que la bouche reste ouverte sur la voyelle et ne se ferme pas pour articuler un *m*, que la langue ne se relève pas pour articuler un *n* ou ne se recule pas pour articuler un *g* nasal. Soit à corriger le *n* parasite d'un mot comme *bonté*, articulé faussement [bõnte]. Faire répéter : te-bõ, te-bõ, te-bõ, te-bõ... bõ-te.

18

PROCÉDÉS DE CORRECTION : VOYELLES OUVERTES ET VOYELLES FERMÉES

La question du double timbre des voyelles n'est généralement pas très importante au niveau des débutants (phonémique). On trouvera traitées en détail ces questions dans l'*Aide-mémoire d'orthoépie* et sommairement ci-dessous (p. 61). Pour ce type de correction, il importe d'avoir présent à l'esprit le tableau VII ; se référer aux séries verticales.

***Si une voyelle est trop fermée,* partir de la voyelle plus ouverte qu'elle, dans la même série verticale.** Un *é* trop fermé (qui ressemble alors à un *i*) sera corrigé en partant de *ê* [ɛ] ; un *ê* trop fermé en partant de *a*. Par exemple, si un étudiant prononce *tête* comme *téte*, lui dire que le *ê* de *tête* ressemble au *a* de tate. Ajuster à l'oreille.

***Si une voyelle est trop ouverte,* partir de la voyelle plus fermée dans la même série verticale** (tableau VII). Ainsi, si *eu*, d'un mot comme *peu*, ressemble au [œ] d'un mot comme *cœur*, partir de *u*. Si c'est le *u* lui-même qui est trop ouvert, il ne reste plus comme possibilité que de partir du *i* et faire labialiser.

On peut toutefois utiliser d'autres procédés et employer des phonèmes qui ont une action assimilatrice en phonétique combinatoire. Ainsi le *k* et le *y* (*y* comme dans a*y*ez), placés devant une voyelle tendent à la fermer. Il est plus facile de dire *yé* ou *ké* ou *kyé*, avec un *é* fermé qu'avec un *ê* ouvert.

Au contraire, certaines consonnes, dites ouvrantes, peuvent faciliter l'ouverture d'un son. Le *r* et le *l*, après la voyelle, par exemple. Il est physiologiquement plus facile de prononcer *elle* et *air* avec un *ê* ouvert qu'avec un *é* fermé.

Mais on trouvera bon nombre de cas où de tels exercices, à l'aide de ces consonnes assimilatrices, sont inopérants ; car la réalité linguistique, les habitudes phoniques de l'étudiant sont plus fortes que les mécanismes articulatoires généraux. Un étudiant grec ou slave pourra répéter cent fois *kyé*, *kyé*, *kyé* en faisant toujours un *ê* ouvert au lieu d'un *é* fermé. Il arrivera à produire ce é fermé correctement le jour où il aura perçu la différence entre é et ê à l'audition — tout au moins ne sera-t-il plus très loin de pouvoir produire ces deux sons lui-même. Sinon, s'il arrive au son juste sans l'entendre, ce sera un pur hasard. (Les sourds-muets n'arrivent qu'au prix de difficultés extraordinaires à produire — imparfaitement d'ailleurs — des sons qu'ils n'entendent pas.)

Rappelons enfin qu'il est indispensable de connaître le système phonique de l'étudiant qu'on corrige si on veut effectuer des corrections efficaces et rapides. On s'apercevra ainsi que certains sons supposés inconnus par l'étudiant existent en réalité dans des cas peut-être rares mais nettement caractérisés et bien déterminés. (Voir *Distribution des sons*, chap. II, pp. 43-44.) Ainsi un Espagnol prendra mieux conscience de la différence qui existe en français entre les deux *é*, [e] et [ɛ], si on lui montre que cette différence existe, dans certains cas en espagnol, où le [e] de *que* est nettement plus fermé que celui de *perro*.

B. LES CONSONNES

I

OPPOSITION DE BASE : OCCLUSIVE/CONSTRICTIVE

On retrouve dans toutes les langues deux types de consonnes.

Ce sont des consonnes comparables au *p* du français *é*p*ais* et au *f* du français *e*ff*et*.

Acoustiquement, on peut opposer ainsi ces deux types de consonnes :

Consonne « *occlusive* » (momentanée)	Consonne « *constrictive* » (continue)
arrêt de l'air suivi d'un léger *bruit d'explosion*	*pas d'arrêt* de l'air et bruit de *frottement*
p	**f**

Physiologiquement, on peut opposer ainsi ces deux types de consonnes :

Consonne occlusive produite par une *fermeture* nette du passage de l'air	*Consonne constrictive* produite par un *resserrement* du passage de l'air
p	**f**

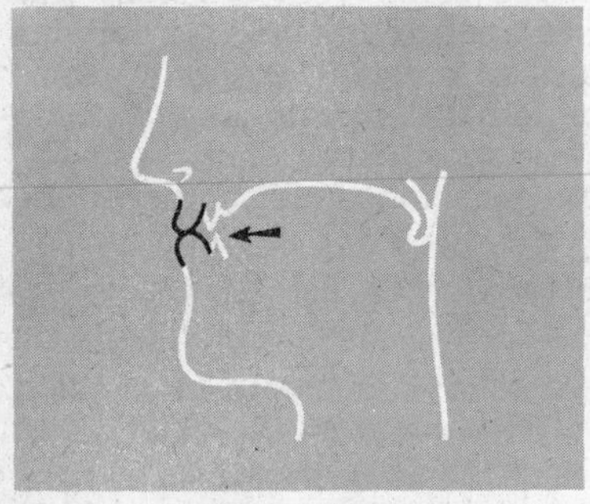

16. Occlusive : *p* (l'air est arrêté).

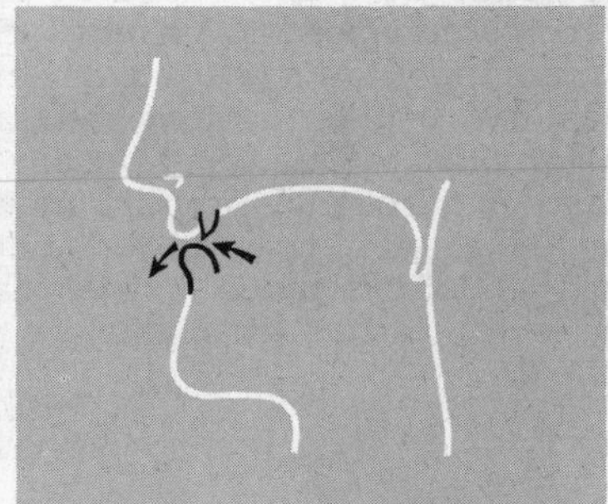

17. Constrictive : *f* (l'air passe).

2

DEUXIÈME OPPOSITION : SOURDE/SONORE (forte) (douce)

Le français oppose deux types de consonnes dont certaines se retrouvent dans toutes les langues. Ce sont des consonnes comme le *s* du français a*ss*is et le *z* du français A*s*ie.

Acoustiquement, on peut opposer ainsi ces deux types de consonnes en français :

Consonne « sourde »	*Consonne « sonore »*
— bruit *plus aigu* que pour une sonore	— bruit *moins aigu* que pour une sourde
— *plus d'intensité* (consonne forte)	— *moins d'intensité* (consonne douce)
s	**z**

Physiologiquement, on peut opposer ainsi ces deux types de consonnes :

Consonne « sourde »	*Consonne « sonore »*
pas de vibration	*vibration*
des *cordes vocales*	des *cordes vocales*
s	**z**

REMARQUE. — Les cordes vocales sont les muscles qui permettent d'ouvrir ou de fermer le passage de l'air dans le larynx. L'ouverture des cordes vocales (pendant la respiration) détermine le trou qu'on appelle la *glotte*. Les vibrations des cordes vocales se produisent pour l'émission normale d'une voyelle et pour certaines consonnes (les sonores). La vibration maxima est obtenue dans le chant.

Pour sentir les vibrations des cordes vocales, placer le dos de la main contre la pomme d'Adam : chanter une voyelle, un *m*, un *n*, *z*, etc. En gardant la main contre la pomme d'Adam, prolonger alternativement s/*z*, f/*v*, f/*m*, la seconde de ces consonnes est sonore.

3

TROISIÈME OPPOSITION : ORALE/NASALE

Dans toutes les langues, on trouve des consonnes nasales comme le *m* du français *m*a, opposées à des consonnes orales, comme le *p* du français *p*as ou le *b* du français *b*as.

Acoustiquement, on peut opposer ainsi ces deux types de consonnes :

Consonne orale	*Consonne nasale*
son *clair*	son *sombre*
à résonance buccale	à résonance nasale
p, b	**m**

Physiologiquement, on peut opposer ainsi ces deux types de consonnes :

Consonne orale	*Consonne nasale*
l'air expiré sort par la bouche	l'air expiré sort par la bouche et par le *nez*
le *voile du palais* est *relevé*	*abaissement du voile du palais*
p, b	**m**

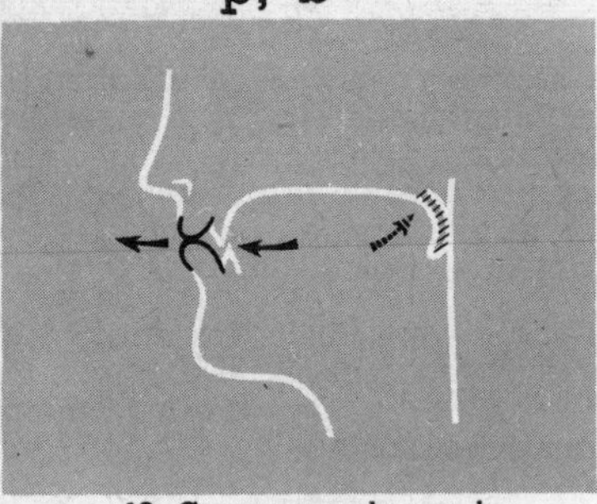

18. Consonne orale : *p, b* (voile du palais relevé)

19. Consonne nasale : *m* (voile du palais abaissé).

(Le voile du palais est représenté par la partie hachurée.)

4

OPPOSITIONS DE POINT D'ARTICULATION

Les consonnes d'un même type, occlusif ou constrictif, sourd ou sonore, oral ou nasal, peuvent encore s'opposer par leur *point d'articulation.* On appelle ainsi le point où le passage de l'air est le plus étroit (ou complètement fermé) pendant l'articulation de la consonne.

Selon leur point d'articulation, les consonnes portent les noms correspondant à l'adjectif indiqué sur le diagramme ci-dessous :

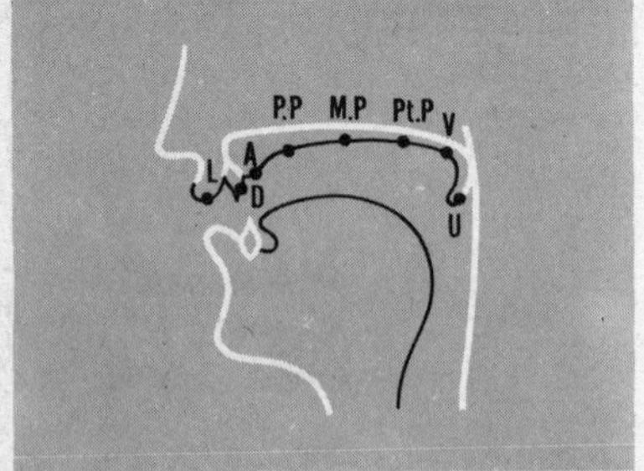

L = Labiales
D = Dentales
A = Alvéolaire
PP = Prépalatales
MP = Médiopalatale
PtP = Post-palatales
U = Uvulaire
V = Vélaires

20. Points d'articulation

En tenant compte de ces repères, on peut définir l'articulation de toutes les consonnes françaises (Voir les schémas p. 29).

● ***Consonnes labiales.*** — Elles se forment en appuyant la lèvre supérieure et la lèvre inférieure l'une contre l'autre.

EX. : *p*, *b*, *m* ; comme dans le français : *p*as, *b*as, *m*a.

● ***Consonnes labio-dentales.*** — Elles se forment en appuyant la lèvre inférieure contre les dents supérieures.

EX. : *f*, *v* ; comme dans le français : *f*ou, *v*ous.

● ***Consonnes dentales.*** — Elles se forment en appuyant la partie antérieure de la langue contre toutes les dents supérieures.

EX. : *t*, *d*, *n*, *s*, *z* ; comme dans le français : é*t*é, ai*d*é, aî*n*é, es*s*ai, ai*s*é [e*z*e].

● ***Consonne alvéolaire.*** — Elle se forme en appuyant la pointe de la langue contre la partie alvéolaire du palais. C'est la consonne *l*, qui possède en outre la particularité de laisser l'air s'échapper sur les *côtés* de la langue (*consonne latérale*), alors que pour toutes les autres consonnes l'air s'échappe par un canal médian.

EX. : *l* comme dans le français : *l*it.

● ***Consonnes prépalatales.*** — Elles se forment en appuyant la partie antérieure de la langue contre la partie antérieure du palais.

EX. : *ch* [ʃ], *j* [ʒ] (on a noté entre crochets la transcription phonétique), comme dans le français *ch*ou et *j*oue.

● ***Consonnes palatales.*** — Elles se forment en appuyant le dos de la langue contre le haut du palais (ou contre le voile du palais selon la voyelle qui les accompagne).

Ex. : *k*, *g*, comme dans le français *c*ou et *g*oût, *qui* et *gui*.

● ***Consonne médio-palatale.*** — Elle se forme en rapprochant le milieu du dos de la langue contre le milieu du palais. La pointe de la langue restant abaissée.

EX. : *gn* [ɲ] comme dans le français a*gn*eau,

● ***Consonne uvulaire.*** — Elle se forme en appuyant le dos de la langue contre la luette.

EX. : [r] comme dans le français *r*it. La luette, à l'extrémité du palais mou (fig. 20) peut vibrer très vite. Mais pour le [r] parisien, le plus fréquent, la luette ne vibre pas, *la langue s'en rapproche* seulement.

5

CLASSEMENT DE TOUTES LES CONSONNES DU SYSTÈME PHONÉTIQUE FRANÇAIS

En tenant compte des quatre types principaux d'oppositions (occlusif / constrictif, sourd (fort) / sonore (doux), oral / nasal, et des divers points d'articulation), on peut classer ainsi les consonnes françaises :

TABLEAU VIII

Les oppositions consonantiques du français

	Occlusives (momentanées)			
	Bi-labiales	*Dentales*	*Médio-palatale*	*Palatales*
Sourdes (orales)	**p**	**t**		**k**
Sonores (orales)	**b**	**d**		**g**
Nasales (sonores)	**m**	**n**	**ɲ**	

	Fricatives (continues)				
	Labio-dentales	*Dentales*	*Alvéolaire (latérale)*	*Pré-palatales*	*Uvulaire*
Sourdes (orales)	**f**	**s**		ʃ	
Sonores (orales)	**v**	**z**	**l**	ʒ	**r**

REMARQUE. — En consultant le tableau ci-dessus, on voit qu'il existe un certain équilibre du système consonantique, comme il en existe un pour le système vocalique (voir p. 17). On remarque que presque toutes les consonnes françaises, sauf les nasales, ont une opposition en commun dans chacune des catégories de mode et de point d'articulation. C'est l'opposition *sourde/sonore*. Seules les consonnes *l* et *r* ne présentent pas cette opposition. Certaines langues, comme le finnois, au contraire, ne connaissent pratiquement pas l'opposition *sourde/sonore*, d'autres, comme les langues germaniques, l'utilisent différemment, soit dans la réalisation phonique (voir chap. II, p. 59), soit dans la distribution (voir chap. II, p. 43). Quant au *l* et au *r*, ces consonnes sont habituellement sonores, mais elles peuvent devenir sourdes, après une consonne sourde dans la même syllabe ; elles peuvent même n'exister que comme sourdes, dialectalement. Mais, qu'elles soient sourdes ou sonores, elles ne changent jamais de valeur sur le plan linguistique, comme cela se produit dans une langue comme le gallois. Dans un certain nombre de langues africaines et asiatiques (entre autres le japonais), l'*opposition de point d'articulation* entre *l* et *r* n'existe pas. Elle est importante en français.

6

ORTHODIAGRAMMES DES CONSONNES FRANÇAISES

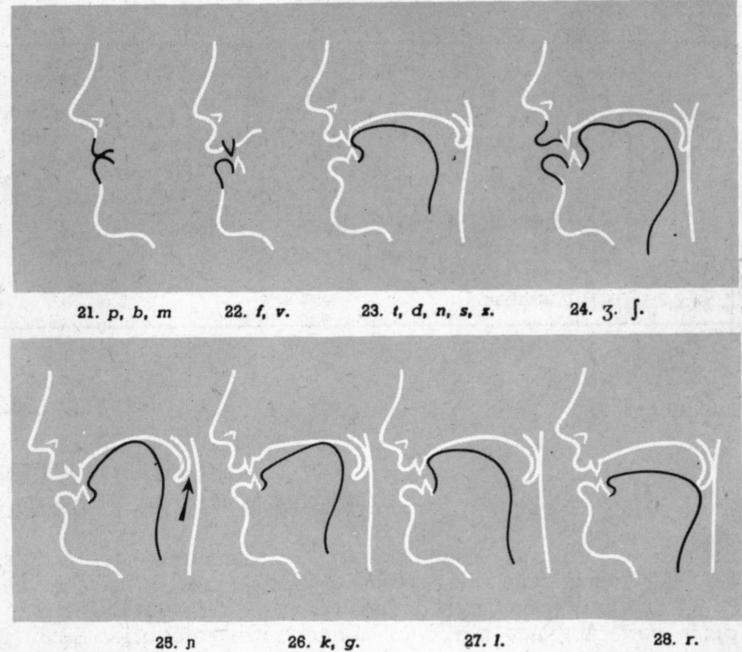

21. *p, b, m* 22. *f, v.* 23. *t, d, n, s, z.* 24. ʒ. ʃ.

25. ɲ 26. *k, g.* 27. *l.* 28. *r.*

7

REPRÉSENTATION ORTHOGRAPHIQUE OU PHONÉTIQUE DES CONSONNES

Les tableaux VIII ci-dessus et IX ci-dessous, où sont donnés les symboles de l'association phonétique internationale, montrent que les seuls signes non orthographiques employés sont : [ɲ] pour *gn* de a*gn*eau, [ʃ] pour *ch* de *ch*ou et [ʒ] pour *j* de *j*oue. Comme pour l'enseignement des voyelles (voir p. 16, § 10), il est facile d'éviter l'emploi de ces signes, en particulier avec des débutants. On peut, si l'enseignement n'est pas entièrement audio-oral, employer ici aussi les techniques des *mots clefs*, de la mimique articulatoire ou *gestuelle*, indiquées pour les voyelles.

Voici la liste de toutes les consonnes françaises avec leur transcription phonétique et un *mot clef* pour les repérer :

TABLEAU IX

Consonnes françaises

Consonnes occlusives	Consonnes fricatives
1 - [p] *p*ipe	10 - [f] *f*leur
2 - [t] *t*able	11 - [s] *s*ept
3 - [k] *q*uatre	12 - [ʃ] *ch*at
4 - [b] *b*ateau	13 - [v] *v*ache
5 - [d] *d*eux	14 - [z] *z*éro
6 - [g] *g*âteau	15 - [ʒ] *j*ournal
7 - [m] *m*aison	16 - [l] *l*une
8 - [n] *n*euf	17 - [r] *r*ose
9 - [ɲ] a*gn*eau	

8

COMMUNICATION LINGUISTIQUE ET PERFECTION PHONÉTIQUE DES CONSONNES

Le tableau VIII représente, pour les consonnes du français, les sons types, que tout professeur doit exiger de ses élèves. C'est dire qu'on ne devra jamais tolérer qu'un son d'une catégorie soit remplacé par celui d'une autre catégorie. Ainsi, il est essentiel de faire différencier tout de suite *p* (occlusif) de *f* (constrictif) ; *s* (dental) de ʃ (prépalatal) ; *p* (sourd) de *b* (sonore), etc.

REMARQUE. — On voit que les variations dans la prononciation des consonnes sont beaucoup plus limitées que pour les voyelles. Toutes les consonnes décrites dans le tableau VIII fonctionnent en tant que *phonèmes.* Aucune ne pourrait être remplacée par une autre. S'il existe des *variantes*, elles ne sont généralement pas perçues par les sujets parlants, car elles sont souvent peu importantes — à l'exception sans doute du *k* parisien qui devient *ky* dans le parler populaire (casquette prononcé *kyaskyette*).

Cependant, il y a certains écarts qu'on peut accepter au début de la correction, s'ils n'entraînent pas une incompréhension dans la communication orale. Ces fautes (*phonétiques*) peuvent être par exemple : *p, t, k* émis avec un souffle (type anglais ou germanique) ; *t, d* émis comme *ts* et *dz* (type canadien) ; [ɲ] émis comme *n* mouillé (type espagnol ou grec) ; *l* émis comme le *l* final anglais ; *s, z* émis avec la langue trop reculée (mais non confondus avec ʃ et ʒ) ; *r* articulé avec la pointe de la langue au lieu du dos de la langue, comme dans la plupart des langues latines, dans certaines provinces, etc.

Toutes ces fautes doivent être corrigées, mais auparavant il faudra s'attaquer aux fautes qui nuisent à la compréhension (fautes *phonémiques*). Pour cela, comme pour les voyelles, **il faut enseigner les consonnes en *oppositions,* dans un contexte linguistique fonctionnel.**

9

APPLICATION PRATIQUE POUR LA CORRECTION DES CONSONNES

En comparant les consonnes françaises du tableau VIII avec les consonnes de la langue de l'étudiant étranger, on pourra établir un ordre d'urgence dans la correction.

On verra plus loin (chap. II, § 4) que les problèmes de distribution des consonnes peuvent compliquer la correction. (Certaines consonnes peuvent n'exister que dans des positions bien déterminées.)

Pour le moment, on supposera qu'il s'agit d'acquérir purement et simplement des consonnes absentes du système de l'étudiant étranger. Il serait impossible d'envisager tous les cas qui peuvent se présenter. On en citera seulement quelques-uns, à titre indicatif.

10

TYPES D'EXERCICES PRATIQUES SUR LES CONSONNES (PHONÉMIQUE)

● ***Opposition du type occlusif / fricatif :***

un habit / un avis
un abbé / un ave
la paire / l'affaire
épais / effet...

● ***Opposition du type sourde / sonore :***

nous savons / nous avons
dessert / désert
coussin / cousin
il l'a bouché / il l'a bougé
dans le cageot / dans le cachot
actif / active
passif / passive...

● ***Opposition de point d'articulation :***

c'est assez / c'est taché
c'est faussé / c'est fauché
au riz / au lit
allait / arrêt... (1)

On peut préparer bien d'autres exercices de ce genre, fondés sur les oppositions fonctionnelles des consonnes françaises. Tous ne conviennent pas pour tous les groupes linguistiques. A chaque professeur d'examiner les cas auxquels il a affaire en tenant compte des indications qui lui sont fournies.

11

PRINCIPES DE CORRECTION PHONÉTIQUE POUR LES CONSONNES ARTICULATION ET CONTROLE AUDITIF

Comme pour les voyelles, il importe d'abord de *faire entendre* la différence entre les consonnes d'une même série (voir les oppositions ci-dessus), avant de tenter de les faire prononcer. Cependant, il est relativement plus facile d'utiliser les procédés de correction qui font appel aux mécanismes articulatoires quand il s'agit des consonnes plutôt que des voyelles. Les articulations sont en effet nettement plus localisées pour les consonnes. Elles sont également beaucoup plus visibles donc plus aisées à corriger « musculairement ». Nous en donnerons quelques exemples ci-dessous.

---

1. Exemples extraits des *Exercices systématiques.*

12

PROCÉDÉS DE CORRECTION PHONÉTIQUE POUR LES CONSONNES OCCLUSIVES ET FRICATIVES

A l'audition, la différence doit être aisément perçue. S'il s'agit de labiales, un miroir aidera à percevoir la différence entre *p* et *f*, *b* et *v*, par exemple.

S'assurer qu'il s'agit bien d'un problème d'articulation et non de distribution (voir *Distribution*, chap. II, § 2). Ainsi en grec, il existe un *t* et un *d* occlusif dans certains cas et un *t* et un *d* fricatif dans d'autres cas ; la correction devient alors un problème de pure attention.

S'il s'agit de corriger une consonne qui n'est pas assez occlusive, penser que la consonne a beaucoup plus de chance d'être « dure », occlusive, à l'initiale de syllabe plutôt qu'entre voyelles. Il peut être plus facile de prononcer *d* occlusif, comme en français, dans *da* plutôt que dans a*d*a ; dans de nombreuses langues, la consonne, dans cette position, tend à « s'ouvrir », à devenir fricative, comme en espagnol dans *nada*.

Si la consonne occlusive à corriger est une dentale, employer pour la correction une voyelle éloignée du point d'articulation de la consonne, c'est-à-dire une voyelle postérieure. Un *t* du type canadien [ts] sera beaucoup plus facilement corrigé devant *a* que devant *i* ou *é*.

Le problème inverse, qu'une fricative soit remplacée par une occlusive, ne se pose pratiquement jamais — sauf cas de distribution (le *b* employé à la place d'un *v* par un hispanophone, par exemple, parce que seul le *b* existe à l'initiale en espagnol).

13

PROCÉDÉS DE CORRECTION PHONÉTIQUE POUR LA CORRECTION DES CONSONNES SOURDES OU SONORES

Si une consonne sonore, comme un z, est assourdie et devient s, par exemple, faire entendre la différence. Certaines langues ne possèdent en fait de consonnes sonores que les nasales. On peut toujours faire percevoir ce qu'est la « sonorité » en faisant prolonger un *m* ou un *n*. Faire sentir les vibrations en mettant le dos de la main contre le cartilage de la pomme d'Adam ou contre le cartilage du nez.

Il est plus facile de commencer la correction par les fricatives. Partir de la sourde, *s*, par exemple, pour obtenir la sonore de la même série, ici *z* (avoir toujours présent à l'esprit le tableau VIII pour savoir à quelle série on a affaire). Placer la consonne à sonoriser entre voyelles, éléments sonores par excellence. Chanter les voyelles en les prolongeant; faire la consonne faible, elle sera d'autant plus facilement « assimilée », sonorisée par les voyelles. Par exemple :

AAAAAAAA**z**AAAAA, AAAAAAAA**z**AAAAA...

Toujours contrôler que la vibration ne cesse pas au niveau du larynx.

S'il s'agit de sonoriser une occlusive, procéder de la même manière, entre deux voyelles. A la finale, ajouter un petit *e*, très léger. Pour commencer, il vaut mieux dire ba-gue en deux syllabes plutôt que bag, s'il s'agit du mot avec la finale consonantique sonore. Il sera facile d'atténuer cet *e* final par la suite. Il est plus difficile d'obtenir *b*, *d*, *g* sonore à l'initiale. Partir alors de la consonne nasale correspondante, qui, elle, est sûrement sonore (voir tableau VIII). Pour le *b*, partir de *m*, pour le *d*, partir de *n*. Pour obtenir *b*on, faire dire *mb*on, avec un tout petit *m* devant le *b*. Pour obtenir *d*on, faire dire de la même manière *nd*on, avec un tout petit *n* devant le *d*. On peut également utiliser *n* pour obtenir le *g*. Dans tous les cas, contrôler à l'audition et en observant les vibrations contre la pomme d'Adam.

14

PROCÉDÉS DE CORRECTION PHONÉTIQUE CONCERNANT LES POINTS D'ARTICULATION DES CONSONNES [s], [z], [ʃ], [ʒ], [l] et [r]

Si **[s]** et **[z]** sont prononcés comme [ʃ] et [ʒ] (ils sont dits chuintants alors), c'est que la langue est trop reculée (voir *Orthodiagrammes*, fig. 23 et 24, p. 29) et, éventuellement, que les lèvres s'avancent au lieu d'être écartées. Faire prononcer *t* et *d* très dentales, montrer que *s* et *z* sont articulées au même point; utiliser des voyelles très fermées et antérieures, comme *i*. Faire répéter ainsi des syllabes comme *tsi* et *dzi*. Faire entendre que *s* et *z* français sont des « sifflantes » très aiguës par rapport à [ʃ] et [ʒ].

Si [ʃ] et [ʒ] n'existent pas dans la langue de l'étudiant (c'est le cas le plus fréquent), partir de *s* et *z*, respectivement. Faire

prononcer *s* avec les lèvres fortement avancées pour obtenir [ʃ]. Même exercice pour obtenir [ʒ] à partir de *z*. Pratiquer en même temps des exercices de reconnaissance auditive : sa / chat, etc. Faire observer que la langue est plus reculée pour [ʃ] et [ʒ] que pour [s] et [z]. [ʃ] et [ʒ] sont plus graves.

Pour le *l*, le problème le plus fréquent est d'éviter que le *l* final ne se « vélarise » (langues slaves, hongroise, anglaise, portugaise...), c'est-à-dire que la langue soit dans une position trop postérieure et rétroflexe (*voir ci-dessous, chap. II*, § 11). Il arrive souvent qu'on puisse corriger ce défaut en montrant que le *l* initial de l'étudiant est bon et que le *l* final n'est pas bon en français. Sinon, il s'agit de faire avancer la langue comme pour un *t*. Mais la correction ne sera définitive que grâce au contrôle auditif.

La correction du *r* pose souvent des problèmes. Le *r* peut être « roulé », du bout de la langue contre les dents supérieures — comme le *r* de certaines provinces françaises — ou bien articulé avec la pointe de la langue reculée vers le milieu du palais, et une résonance postérieure, c'est le *r* typique de l'anglais et de l'anglo-américain.

Dans le premier cas, on peut tolérer sa prononciation au stade de la correction phonémique. Plus tard, il faut le corriger. Le second de ces *r* est à corriger tout de suite. Montrer que l'articulation du *r* français (orthodiagramme, fig. 28 p. 29) est postérieure, pointe de la langue abaissée. Partir d'un son, comme le *ch* allemand de *Bach*, la jota espagnole de ba*j*o... Le son obtenu sera sourd comme le *r* de mots tels que p*r*is, c*r*aie, f*r*ais, etc. Travailler à partir de là des *r* sourds (voir *Exercices systématiques*). Ensuite adoucir et faire sonoriser, entre voyelles. (Si l'on part d'un son comme le [ɣ] arabe de [ɣazal], on obtiendra un [r] sonore).

On a vu que le *r* du français standard est *uvulaire*, c'est-à-dire articulé avec le dos de la langue contre la luette (voir p. 27). Un effort trop grand pour articuler cette consonne peut produire non seulement un *r sourd* (sans vibration des cordes vocales) mais aussi une forte vibration de la *luette*, comme pour un certain type de *r* allemand ou néerlandais. Dans ce cas, montrer la différence entre vibrations de la luette (bruit de gargarisme) et les vibrations des cordes vocales qu'on peut percevoir tactilement en plaçant le dos de la main contre la pomme d'Adam. Le *r* français est très léger, pendant son articulation la luette ne vibre pas.

Le *r* final turc est non seulement *assourdi* mais aussi *chuinté*, il ressemble à [ʃ]. C'est alors une question de distribution (voir p. 43). Partir de *r* intervocalique pour la correction.

C. LES SEMI-CONSONNES
(ou semi-voyelles)

1

DÉFINITION

Acoustiquement, les semi-consonnes sont des sons qui s'apparentent au bruit de frottement des consonnes constrictives.

Physiologiquement, ce sont des sons intermédiaires entre les voyelles (pour lesquelles le passage de l'air entre la langue et le palais est relativement ouvert) et les consonnes (pour lesquelles le passage de l'air est relativement étroit).

En français, il y a trois semi-consonnes, qu'on trouve dans des mots comme *sci*er, *su*er, *sou*hait.

2

SEMI-CONSONNES ET COMMUNICATION LINGUISTIQUE

Sur le plan de la compréhension orale (phonémique), il y aurait peu d'importance à ce que ces trois semi-voyelles soient remplacées par les voyelles dont elles sont issues, *i*, *u*, *ou*, à condition que ces voyelles soient bien articulées évidemment. Le résultat serait de prononcer — comme on le fait parfois en poésie — deux syllabes (diérèse) au lieu d'une seule (synérèse). On aurait *sci-er, su-er, sou-hait.* Cependant la voyelle *i* ne peut remplacer la semi-voyelle correspondante, *yod*, qu'après une consonne, comme dans *rien*, *bien.* Ailleurs, on ne peut jamais substituer un *i* au *yod*, comme dans *nouille, famille,* etc. De plus, le *i* s'oppose linguistiquement au *yod*, à la finale des mots :

paye [pɛj], *pays* [pei], *abeille* [abɛj], *abbaye* [abei]
et dans *pied* [pje] et *piller* [pije].

3

SEMI-CONSONNE YOD

Ce son existe dans presque toutes les langues. C'est le son anglais de *yes* ou allemand de *ja*, français de il *y* a.

La langue est dans la position de la voyelle *i* et se rapproche encore du milieu du palais pour articuler le son *yod* (écrit [*j*] en phonétique internationale). On aura ainsi :

[i] dans *scie*, opposé à [j] dans *scier*
1 syllabe 1 syllabe
[si] [sje]

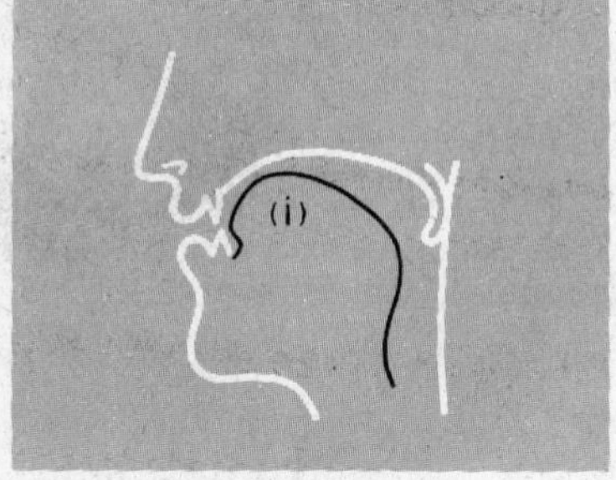

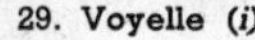
29. Voyelle (*i*).

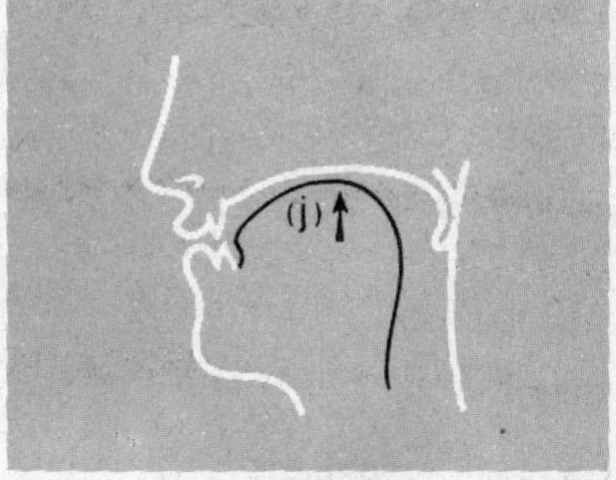

30. Semi-consonne *yod* (*j*).

4

SEMI-CONSONNE UÉ

Ce son est typiquement français. C'est un des sons les plus difficiles à acquérir.

La langue est dans la position de la voyelle *u*, comme dans *su* [sy] et se rapproche encore du palais pour articuler le *ué* (écrit [ɥ] en phonétique internationale). On aura ainsi :

(y) dans sue, opposé à (ɥ) dans suer
1 syllabe 1 syllabe
[sy] [sɥe]

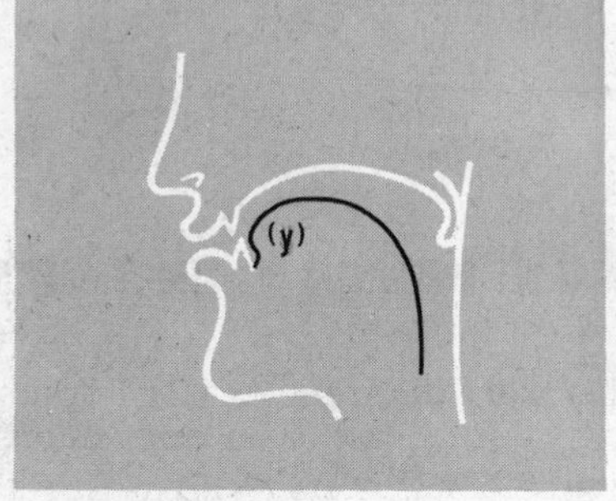

31. Voyelle (*y*).

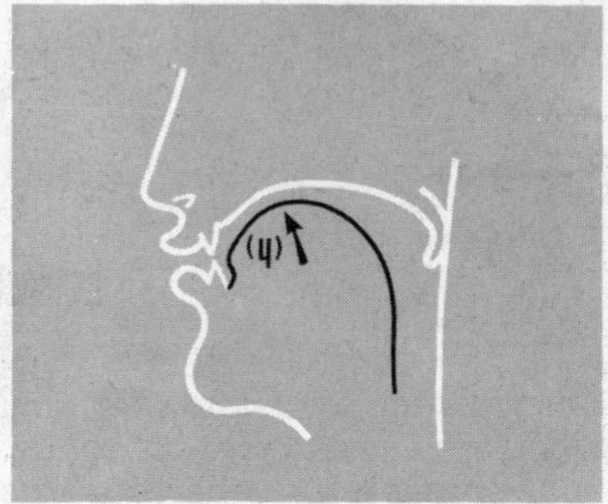

32. Semi-consonne *ué* (ɥ).

5

SEMI-CONSONNE OUÉ

Ce son existe dans un certain nombre de langues. C'est le son anglais de *west*, espagnol de l*ue*go, français de *oui*.

La langue est dans la position de la voyelle *ou* [u], comme dans s*ou*s [su] et se rapproche encore du palais pour articuler le *oué* (écrit [w] en phonétique internationale). On aura ainsi :

[u] dans s*ou*s, opposé à [w] dans s*ou*hait
(1 syllabe) (1 syllabe)
[su] [swɛ]

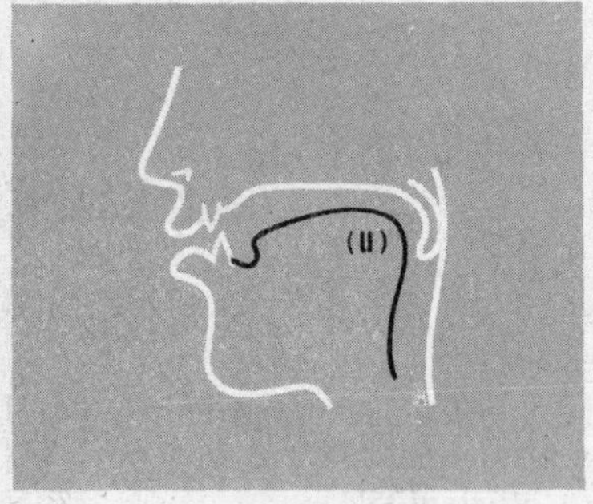

33. Voyelle [u].

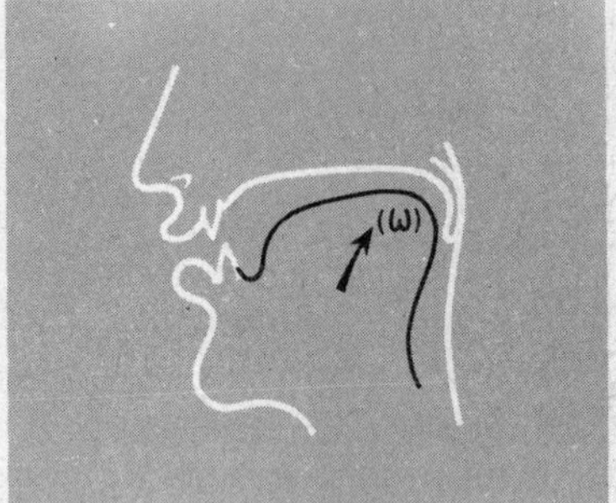

34. Semi-consonne [w].

6

CLASSEMENT DES OPPOSITIONS DES SEMI-CONSONNES

Les trois mots : sc*i*er, s*u*er, s*ou*hait sont différenciés par l'opposition des trois semi-consonnes [j] - [ɥ] - [w]. Ces oppositions sont parallèles à celles qui existent entre [i] - [y] et [u]. On peut les classer ainsi :

TABLEAU X

Semi-consonnes

Antérieure écartée	*Antérieure arrondie*	*Postérieure arrondie*
[j] Langue avancée Lèvres écartées	[ɥ] Langue avancée Lèvres avancées	[w] Langue reculée Lèvres avancées

7

TYPES D'EXERCICES PRATIQUES

- ***Opposition*** [j] / [ɥ] **:**

Vous avez scié... / vous avez sué...

- ***Opposition*** [ɥ] / [w] **:**

C'est à lui / c'est à Louis
Il s'est enfui / il s'est enfoui...

- ***Opposition*** [v] / [vw] **:**

Vous l'avez / vous l'avouez
Tu vas / tu vois...

- ***Opposition*** **(consonne + w) / (consonne + r w) :**

Quoi / crois
Toi / trois
Doit / droit...

8

PRINCIPES DE CORRECTION POUR LES SEMI-CONSONNES

Au stade des débutants (niveau phonémique), on peut toujours tolérer la voyelle correspondant à la semi-consonne, *i* pour *yod*, (sauf exceptions 2, p. 36), *u* pour *ué*, *ou* pour *oué*. Dès qu'on veut obtenir le son juste, il faut se rappeler que la correction phonétique des semi-consonnes ne peut guère s'effectuer que si la voyelle correspondante est déjà acquise correctement.

9

PROCÉDÉS DE CORRECTION POUR LES SEMI-CONSONNES

Pour le yod, partir de i. En général les fautes commises viennent d'habitudes de distribution différente (voir *Distribution*, chap. II, pp. 46-48).

Pour le oué, partir de ou. Exiger une tension musculaire forte. Mettre l'accent sur la voyelle suivante. Prononcer dans la même syllabe le *ou* bien arrondi et passer rapidement à la voyelle suivante. Contrôler à l'audition.

Pour le ué — c'est la semi-consonne qui offre le plus de difficultés, elle n'existe guère qu'en français — **exiger d'abord une bonne prononciation des groupes *ui***, les plus fréquents et les plus faciles à articuler. Partir du *u*. Prononcer rapidement. Tension nette. Lèvres et langue comme pour siffler. Enseigner *ué* et *oué* en même temps en opposition (voir *Exercices systématiques*).

CHAPITRE II

Les sons dans la chaîne parlée
Facteurs d'accents linguistiques et phonétiques

Deux langues peuvent posséder des sons à peu près équivalents, mais différer profondément pour deux raisons essentielles : la répartition des phonèmes et leur fréquence d'emploi d'une part, les habitudes physiologiques et psycho-physiologiques (articulation, rythme, intonation) d'autre part. La première de ces raisons appartient au système linguistique lui-même, la seconde à la réalisation phonétique dans la bouche des sujets parlants. C'est dire qu'une faute de prononciation d'un étranger peut avoir deux causes essentielles : soit une transposition, en français, d'une habitude propre à son système linguistique (manière de distribuer les sons), soit une transposition propre à ses habitudes phonétiques (manière de prononcer les sons). Il est bien évident que ces deux facteurs s'influencent réciproquement et que les séparer est artificiel.

A. FACTEURS LINGUISTIQUES

I

FRÉQUENCE D'EMPLOI ET RENDEMENT

Il peut être bon de savoir quels sont les phonèmes les plus utiles dans une langue, afin de procéder le plus économiquement possible à la correction. **Il y a en effet dans chaque langue des sons très utilisés, d'autres très peu.** L'inventaire des sons n'a pas été fait pour toutes les langues. Voici à titre indicatif le tableau des sons du français classés selon leur fréquence d'apparition dans la conversation (*tableau XI ci-dessous*). Ce tableau donne les sons en valeur absolue. Il faudrait établir un inventaire de toutes **les oppositions** dont le rendement est fonctionnel : trouver, par exemple, toutes les oppositions possibles, en français, du type *je finis* / *j'ai fini*, et les dresser par ordre de fréquence. (C'est sur un inventaire provisoire, de ce type, que sont bâtis les *Exercices systématiques* accompagnant cette introduction.)

TABLEAU XI

Fréquence d'utilisation des sons du français

Voyelles orales

I	[i] = 5,6 (si) [j] = 1 (scier)	U	[y] = 2 (su) [ɥ] = 0,7 (suer)	OU	[u] = 2,7 (sous) [w] = 0,9 (souhait)

E	[e] = 6,5 (ces) [ɛ] = 5,3 (sel)	EU	[ø] = 0,6 (ceux) [ə] = 4,9 (ce) [œ] = 0,3 (seul)	A	[a] = 8,1 (patte) [*a*] = 0,2 (pâte)	O	[o] = 1,7 (seau) [ɔ] = 1,5 (sol)

Voyelles nasales

Ẽ	[ɛ̃] = 1,4 (vin) [œ̃] = 0,5 (un)	Ã [ã] = 3,3 (vent)	Õ [õ] = 2 (vont)

Consonnes

[p] = 4,3	[t] = 4,5		[k] = 4,5	[f] = 1,3	[s] = 5,8		[ʃ] = 0,5 (haché)	
[b] = 1,2	[d] = 3,5		[g] = 0,3	[v] = 2,4	[z] = 0,6	[l] = 6,8	[ʒ] = 1,7 (âgé)	[r] = 6,9
[m] = 3,4	[n] = 2,8	[ɲ] = 0,1 (agneau)						

N.B. Les chiffres de cette statistique sont empruntés à Lafon, J. Cl. *La reconnaissance phonétique et sa mesure*. *An T.C.* 15/1, 2, 1960, p. 3/11. Voir également *Message et Phonétique* P.U.F., Paris, 1963. Ces chiffres représentent le pourcentage par rapport à l'ensemble des phonèmes du français figurés dans ce tableau.

2

PROBLÈMES DE DISTRIBUTION DES SONS

On dit souvent que les Allemands confondent les consonnes *sourdes* et *sonores* (*voir chap. I*, § 7). Or, un Allemand distingue très bien ces deux types de consonnes, puisqu'il oppose par le sens des mots comme la*ss*en [s] et la*s*en [z]. Mais, en initiale de mot, on ne trouve que le son [z], dans un mot comme *s*ein. En parlant français, un Allemand aura donc tendance à remplacer le *s* initial de *s*oleil par le seul son de la même catégorie (*voir tableau VIII, p.* 28), qu'il emploie dans cette position, le [z]. L'anglais possède le son [ʒ], mais ce son n'apparaît en anglais qu'en position intervocalique, dans un mot comme mea*s*ure. Quand un Anglais apprend le français, il a tendance à remplacer le [ʒ] initial du français Georges, par le seul son voisin qu'il connaît dans cette position, le son [dʒ]. Le Laotien possède un *l* initial comme dans le français *l*a, mais ce son n'existe pas en finale dans sa langue. Aussi quand un laotien parle français, il remplace le *l* par le son plus voisin de la même catégorie, qu'il possède en finale, la consonne dentale *n*. Le français be*ll*e devient be*nn*e. Dans de nombreuses langues, dont l'espagnol, le *g* intervocalique tend à devenir fricatif et ressemble à une sorte de *r* français très doux ou à un souffle, mais à l'initiale on retrouve un *g* dur, occlusif. D'où la confusion, ici encore.

En anglais, et à un degré moindre dans les langues slaves, des voyelles qui sont très caractérisées en position accentuée, deviennent des voyelles neutres, ressemblant à l'*e* français de *le*, lorsqu'elles sont inaccentuées. Opposons, par exemple, les deux mots anglais rec**o**rd (verbe), à r**e**cord (nom) : dans le premier cas, le *e* est prononcé avec une voyelle neutre devenue très courte, parfois absente, dans le deuxième cas c'est un *é* [e], comme dans le français *thé*.

Il importe donc, avant de commencer la correction phonétique, d'établir un inventaire comparé des possibilités de distribution des sons dans les deux langues en présence, afin de prévoir les difficultés et d'attirer l'attention de l'élève.

3

DISTRIBUTION DES VOYELLES EN FRANÇAIS

On peut trouver les voyelles françaises dans toutes les positions : ***initiale, entre consonnes et en finale,*** comme dans cette phrase : *A*vez-v*ou*s d*é*cid*é* qu*e*lqu*e* ch*o*se d*e* n*ou*v*eau*?

On notera toutefois que le *e* caduc, d'un mot comme l**e**, ne se trouve jamais à l'initiale et rarement en finale prononcée — sauf dans le pronom *le*. *Ex. :* Donnez-le. (Et dans quelques formules comme *sur ce*, *parce que*, suivies d'une pause.)

On peut, en outre, trouver deux voyelles contiguës dans un mot comme *aé*rien, ou à l'intérieur d'un groupe comme dans la phrase suivante :

O*ù* *a*s-t*u* *ou*blié le*s* *h*ors-d'œuvre?
[u‿a ty‿ublije le‿ɔr dœvr]

4

DISTRIBUTION DES CONSONNES EN FRANÇAIS

On peut trouver les consonnes françaises (occlusives, constrictives, sourdes, sonores, etc.) **dans toutes les positions suivantes :** ***initiale, intervocalique, finale.*** Ex. :

	INITIALE	INTERVOCALIQUE	FINALE
p	**p**ou	é**p**ais	ta**p**e
b	**b**out	a**bb**é	ro**b**e
t	**t**out	é**t**é	ê**t**es
d	**d**oux	ai**d**é	ai**d**e
k	**c**ou	é**c**art	ba**c**
g	**g**oût	é**g**ard	ba**gu**e
f	**f**ou	re**f**us	neu**f**
v	**v**ous	re**v**ue	neu**v**e
s	**s**ous	e**ss**ai	ca**ss**e
z	**z**èbre	ai**s**é	ca**s**e
ʃ	**ch**ou	ha**ch**é	ca**ch**e
ʒ	**j**oue	â**g**é	ca**g**e
l	**l**oup	a**ll**ait	ca**l**e
r	**r**oue	a**rr**êt	ca**r**
n	**n**ous	A**nn**ie	ca**nn**e
m	**m**ou	a**m**i	ca**m**e
ɲ	« **gn**ôle »	a**gn**eau	ga**gn**e

Noter que, dans la troisième colonne, le *e* final est muet, dans tous les mots où il apparaît.

On peut également trouver de nombreux **groupes de consonnes.** Ce sont, le plus souvent, les groupes *consonne* + *r* et *consonne* + *l*. Ces groupes peuvent être *primaires* dans la langue, ou bien *secondaires*. Dans ce dernier cas, ils apparaissent à la suite de la chute d'un *e muet*, dans une prononciation courante (*voir p.* 69) ou en passant d'un mot à un autre.

	INITIALE	INTERVOCALIQUE	FINALE
pr	près	après	âpre
tr	très	attrait	être
kr	craie	écrit	âcre
fr	frais	effraie	souffre
sr	s(e)rait-il...	pass(e)ra	
ʃr		mouch(e)ra	
br	bras	abri	sabre
dr	drap	adresse	cadre
gr	gras	aigri	aigre
vr	vrai	avril	Havre
zr		os(e)rai	
ʒr	j(e) réponds	ling(e)rie	
lr	l(e) ramasses-tu	cél(e)ri	
nr	n(e) réponds pas	vann(e)rie	
mr	m(e) réponds-tu	ém(e)ri	
ɲr		gagn(e)ra	
pl	pleut-il	éploré	souple
tl	t(e) l'a-t-il dit	att(e)lé	
kl	klaxonne	éclair	boucle
fl	fléchir	réfléchir	souffle
sl	s(e) laver	oss(e)let	
ʃl		bouch(e)-les	
bl	bleu	ébloui	table
dl	d(e) là...	au-d(e)là	
gl	gland	aiglon	aigle
vl	vlan	sauve-les	
zl		os(e)-le	
ʒl	j(e) l'ai	mang(e)-le	
ll	l(e) lis-tu	il le dit	
nl	n(e) le dis pas	tu n(e) le dis pas	
ml	m(e) le prêtes-tu	tu m(e) le prêtes	
ɲl		soign(e)-le	

On voit que certains groupes n'existent que comme groupes secondaires. Certaines combinaisons n'existent pas, comme *zr* à l'initiale ou *ɲr* en finale.

En dehors de ces groupes, *consonne* + *r* et *consonne* + *l*, il en existe beaucoup d'autres, mais ils sont plus rares. Le français possède des **géminées** (consonnes doubles) dans une prononciation affective (cf. p. 68). Mais il existe également quelques *oppositions phonémiques entre consonnes simples et géminées*, comme dans :

la dent/la-d(e)dans, tu mens/tu m(e) mens.

Les cas les plus évidents sont ceux des imparfaits opposés aux conditionnels dans les verbe en *ir* :

courait [kurɛ]/ cou*r*rait [kurrɛ]
mourait [murɛ]/ mou*r*rait [murrɛ]

5

DISTRIBUTION DES SEMI-CONSONNES EN FRANÇAIS

Les semi-consonnes apparaissent le plus souvent devant une voyelle prononcée.

— ***Yod*** [j] peut apparaître devant n'importe quelle voyelle.

EXEMPLE : il y a, hier, feuillu, fouilli, vieux...
[ja] [jɛ] [jy] [ji] [jø]

— ***Ué*** [ɥ] apparaît surtout *devant* voyelle antérieure (sauf [y] et [œ̃]).

EXEMPLE : suis, suer, suave, sueur, juin...
[ɥi] [ɥe] [ɥa] [ɥœ] [ɥɛ̃]

— ***Oué*** [w] peut apparaître devant presque toutes les voyelles (sauf [y], [œ̃], [o] et [u]).

EXEMPLE : Louis, loué, loua, loueur, louons, Rouen...
[wi] [we] [wa] [wœ] [wõ] [wã]

Les semi-consonnes françaises peuvent occuper une position *initiale* ou *intervocalique* et entrer dans la composition de nombreux groupes consonantiques. *Mais seul le yod est susceptible d'apparaître à la finale* où il peut s'opposer à *i* (cf. p. 36).

EXEMPLE :

	INITIALE	INTERVOCALIQUE	FINALE
[j]	hier	payer	paye, fille
[ɥ]	huit	le huit	
[w]	oui	mais oui	

On note que le ɥ et le w intervocaliques n'existent que dans des groupes comme *le huit*, *mais oui*...

Les groupes consonantiques du type : consonne + *yod*, consonne + *ué* et consonne + *oué*, comme *scier*, *suer*, *souhait* sont assez nombreux. Ils offrent certaines particularités.

Précédé de deux consonnes dans la même syllabe, *i* suivi de voyelle garde sa valeur de voyelle.

On oppose ainsi : l*i*er / pl*i*er
(1 syllabe) (2 syllabes)

Le même phénomène se produit pour *u* et *ou*.

EXEMPLE : r*u*elle / tr*u*elle r*ou*é / tr*ou*é
(1 syllabe) (2 syllabes) (1 syllabe) (2 syllabes)

Mais il faut noter que pour les groupes *ui* [ɥi], *oi* [wa], ce phénomène de dissociation (diérèse) ne se produit pas.

EXEMPLE : c*ui*te / tr*ui*te
(1 syllabe) (1 syllabe)
r*oi* / tr*ois*
(1 syllabe) (1 syllabe)

REMARQUE. — *La position finale du yod* français s'oppose aux finales *diphtonguées* de langues comme l'anglais, l'allemand, le vietnamien... Un sujet parlant de ces groupes linguistiques interprétera la finale [aj] du français comme la finale diphtonguée de l'anglais *pie* [paɪ], alors qu'il y a en français une finale vocalique [a], ici, suivie d'un phonème différent, la semi-consonne *yod*.

6

APPLICATION PRATIQUE POUR LA CORRECTION PHONÉTIQUE

Dans les débuts de la correction phonétique, il importe d'insister d'abord sur ***les oppositions fonctionnelles qui ont le plus grand rendement.*** Des différences comme celles qu'on peut trouver entre :

jeune / jeûne
patte / pâte

sont très rares et ne méritent pas qu'on en parle, tant que ne sont pas assurées les différences importantes pour les voyelles (*voir tableau VII, p.* 17) du type : je ris / j'*ai* ri, et pour les consonnes (*voir tableau VIII, p.* 28) du type : *papa* / *baba*... (*voir Exercices, pp.* 18-19 et 32).

Il faut ensuite, très tôt, détecter les problèmes de ***distribution.*** Il est en effet facile, — c'est le plus souvent une question d'*attention* — de corriger le défaut d'utilisation d'un phonème que l'étudiant possède déjà dans sa langue. Ainsi le *yod* final n'existe pas en anglais, alors qu'il existe en position initiale, dans un mot comme *y*es. A l'anglais qui prononce *aille* comme *I* (avec une diphtongue), il suffira de faire prononcer d'abord la voyelle *a*, suivie du son yod, comme s'il était initial d'une autre syllabe : *a* - *yes*, par exemple. Puis de là, on passera à *a* - *ye* et à [aj]. Lorsque l'étudiant aura pris conscience du rôle et de la nature du *yod*, aucun exercice spécial d'articulation ne sera nécessaire. C'est un exemple assez net de l'importance linguistique de la place d'un son, par rapport à son articulation proprement dite.

B. FACTEURS PHONÉTIQUES

Dans la langue, un son *isolé* n'existe qu'exceptionnellement — dans des interjections comme *ah ! oh !... hein?* S'il est parfois nécessaire d'isoler un son pour mieux l'analyser, ***l'essentiel pour atteindre à la perfection phonétique est d'acquérir un ensemble de traits généraux***, que chaque langue possède en propre. Ce sont des habitudes articulatoires, syllabiques, rythmiques et intonatives.

I. - HABITUDES ARTICULATOIRES DU FRANÇAIS

TENSION MUSCULAIRE LABIALITÉ

La tension musculaire est constante dans l'articulation du français. Bien que sans cesse maintenue à un niveau élevé, elle est sans saccade, sans augmentation ou diminution brusque. C'est un contrôle rigoureux de tous les muscles, sans jamais la moindre contraction visible à l'extérieur, mais avec une mimique articulatoire très typique, qui utilise beaucoup les mouvements des lèvres.

La labialité se marque en français surtout par les voyelles dont huit sur seize sont arrondies. En fait, cela représente, du point de vue de la fréquence d'utilisation, environ **36 % de voyelles arrondies contre 64 % de voyelles écartées ;** mais cette proportion est beaucoup plus importante que dans la plupart des autres langues et l'intensité de la labialité est considérable, grâce à la tension musculaire exercée.

tercalaire parasite la plus tolérable en français est encore l'e uet [ə] que le français populaire utilise dans les groupes habituels à la langue, du type « peneu » au lieu de *pn*eu.

7

TENSION GLOTTALE
CONSONNES P, T, K « NON ASPIRÉES »

La tension glottale trop importante peut produire une occlusion, dite « coup de glotte » (voir ci-dessus, p. 49), qui ferme brusquement les cordes vocales. Au contraire, **lorsque les cordes vocales ne se rapprochent pas assez vite, de l'air peut s'échapper, sous forme d'un souffle.**

C'est ce qui se produit dans beaucoup de langues et en particulier dans les langues germaniques, en iranien et en anglais, lorsque les consonnes *p, t, k* sont suivies d'une voyelle. On dit — très improprement — que ces consonnes sont *aspirées* (en réalité, elles sont *expirées*).

En français, au contraire, chaque fois que les consonnes *p, t, k* sont suivies d'une voyelle, on anticipe la prononciation de la voyelle, les cordes vocales se rapprochent en se préparant à émettre cette voyelle. La fermeture de la glotte pendant la prononciation de la consonne empêche alors l'air de s'échapper. Quand il s'échappe, il est déjà sonorisé pour la production de la voyelle.

8

DÉTENTE DES CONSONNES FINALES

Il y a toujours, en français, une détente des muscles après une consonne finale, la bouche se rouvre après les labiales : *p, b, m, f, v*, la langue se détache de son point d'articulation pour *t, d, n, l*, etc.

Cette tendance est si nette que l'on entend souvent un petit e muet après les consonnes finales, surtout dans la prononciation des speakers ou des conférenciers. Cette tendance, qui revient à faire d'une consonne finale une sorte de consonne initiale d'une nouvelle syllabe (voir ci-dessous, *Syllabation ouverte* p. 59), est très forte. Dans le français du midi, c'est une véritable voyelle d'appui qui apparaît ainsi après consonne finale.

Au contraire, dans beaucoup de langues, les consonnes finales n'ont pas de détente. Un Anglais qui articule le mot *ham* garde le plus souvent les lèvres fermées sur le *m*. Un Vietnamien prononce le mot *viet* avec un *t* qui n'explose pas et qu'un Français confond très facilement avec un arrêt brusque de la voyelle ou avec un *k*...

2

TENSION DES VOYELLES

Cette tension musculaire donne acoustiquement une impression de netteté qui fait que les voyelles sont aussi claires en position inaccentuée qu'en position accentuée. (Voir plus loin, p. 64 et suivantes, la définition de l'accent.) Un mot comme *difficulté* possède des voyelles dont chacune est aussi précise que si elle était détachée du mot. Au contraire, dans la plupart des langues étrangères, les voyelles qui ne portent pas d'accent deviennent floues, imprécises. (Comparez par exemple le mot d*ifficulté* avec l'anglais *difficulty*, dans lequel une syllabe est proéminente au détriment de toutes les autres.)

La tension musculaire est *soutenue* pendant toute la durée de la voyelle, ce qui empêche la voyelle de changer de timbre. La langue reste dans la même position suffisamment longtemps pour garder au son sa pureté acoustique. La voyelle française est dite *pure*. Au contraire, dans de nombreuses langues, comme l'anglais, le danois, l'allemand, le finnois, le vietnamien,... certaines voyelles, par suite d'un affaiblissement de la tension musculaire, changent de timbre du début à la fin. Elles sont *diphtonguées*. On pourrait représenter ainsi une voyelle pure française par rapport à une voyelle diphtonguée, de type anglais par exemple :

Voyelle pure	*Voyelle diphtonguée*
i du français *si*	*i* de l'anglais *see*

3

DÉBUT VOCALIQUE
« ATTAQUE » DOUCE ET « OCCLUSION GLOTTALE »

La tension musculaire fait que les voyelles françaises commencent nettement. Mais une *comparaison* s'impose avec d'autres langues. Si on rapproche les voyelles françaises des voyelles de type germanique, anglais, de nombreuses langues africaines ou asiatiques, **le début des voyelles françaises est très *doux***. Dans certaines langues, un début — une « attaque » — vocalique fonctionne au même titre qu'un autre phonème de la langue. Pour d'autres langues, c'est seulement une habitude phonétique, sans valeur phonémique. Cette attaque brusque de la voyelle s'effectue par une contraction des cordes vocales, comme lorsqu'on va tousser, et porte le nom *occlusion glottale* (1). (La glotte est l'espace situé entre les cordes vocales.) On pourrait illustrer ainsi ces deux types d'attaque vocalique :

35. Attaque brusque, type de voyelle germanique **36. Attaque progressive, type de voyelle française.**

REMARQUE. — Il peut arriver en français qu'une voyelle commence avec une occlusion glottale, le mot est alors utilisé avec une valeur *expressive* (voir p. 67 l'accent d'insistance) comme dans *E*ncore ! *I*diot ! *A*rrête !... Dans le discours *didactique*, il arrive aussi qu'on sépare artificiellement les mots et que les initiales vocaliques soient attaquées durement. C'est un procédé utilisé par les orateurs et par beaucoup de professeurs, mais il faut l'éviter avec des débutants étrangers.

4

FINALE VOCALIQUE

La tension musculaire fait que les voyelles françaises s'arrêtent ***nettement***, comme on l'a vu (cf. § 2 *ci-dessus*), en comparaison des finales diphtonguées de certaines autres langues.

37. Finale vocalique nette **38. Finale vocalique dégradée (type anglais).**

Mais ici encore, on s'aperçoit que la réalité ***corrective*** n'est pas la même pour toutes les langues. En effet, certaines langues d'Afrique et du Sud-Est asiatique en particulier, ont des voyelles très courtes, qui sont parfois suivies d'un coup de glotte qui les fait paraître plus courtes encore. Il faudra pour ce type de langues présenter la finale vocalique française comme ***très douce***.

1. **On l'appelle souvent « un coup de glotte ».**

VOYELL

Quand deux voyelles sont en *hiatus*, dans le même mot, *aérien*, ou dans un groupe de mots comme il *a été*, le pas l'une à l'autre se fait nettement avec une *tension musc* suffisante pour éviter la production de sons parasites i médiaires, essentiellement *yod* [j] et *oué* [w].

EXEMPLE : Il *a été* agréable (1), et non [il a *j*ete agre*j*abl] ; *où* allez-vou et non [uwalevu].

Mais la tension, qui évite ces sons parasites, ne doit pas entraîner une *coupure* audible, entre les deux voyelles. Celles-ci sont au contraire très enchaînées entre elles (voir *Enchaînements* p. 71). On passe insensiblement de l'une à l'autre.

REMARQUE. — En fait, la notion d'hiatus est purement formelle. Elle ne correspond plus à la réalité actuelle de la langue. On ne fait pas de coupure entre deux voyelles qui se rencontrent comme par exemple entre *a* et *é* dans il *a été*.

6

TENSION DES CONSONNES. GROUPES

La tension musculaire donne aux consonnes, comme aux voyelles françaises, une impression de netteté et de précision. Elles sont beaucoup plus *brèves* que dans d'autres langues — surtout les consonnes fricatives, comme [f], [s], [ʃ] et [v], [z], [ʒ]. (Comparez avec l'allemand en particulier.)

Mais cette tension se manifeste surtout dans les *groupes consonantiques* (voir ci-dessus, p. 45), qui sont articulés avec une fermeté telle, qu'**on n'entend jamais de son intermédiaire entre les consonnes de groupes comme *pr*, *br*, *dr***... Toutes les langues, et elles sont nombreuses, qui ne connaissent pas de tels groupes consonantiques interprètent le système phonétique français à la manière du leur, en intercalant comme voyelle intermédiair parasite, celle qui est la plus fréquente en position inaccentué soit un é [e] pour les langues latines, soit un son neutre, vois de *e* [ə] pour les langues anglo-saxonnes ou un son voisin de pour des langues comme l'iranien... Dans ce cas, la voye

1. Cette faute existe dans un type de français populaire, dont la tension musculai relâchée.
Les seuls cas où un *yod* de transition est considéré comme normal sont dans l du type *plier* [plije], *ouvrier* [uvrije]...

L'absence de détente des consonnes finales en français est une faute grave et lourde de conséquences. (Voir *Syllabation ouverte*, p. 59.) Elle empêche la compréhension, dans bien des cas, et favorise des fautes comme la nasalisation ou l'assourdissement des consonnes sonores en finales.

9

DÉBUT ET FINALE DES CONSONNES SONORES

Les consonnes *sonores* françaises (voir p. 24), en particulier [b], [d], [g], [v], [z], [ʒ] (qui ont toutes une consonne sourde correspondante), sont sonores dès le commencement de leur articulation et le restent jusqu'à la fin lorsqu'elles sont initiales ou finales.

Dans les langues où l'opposition *sourde / sonore* n'est pas très nette, parce que renforcée par d'autres facteurs, ou lorsqu'elle n'a pas de fonction linguistique, les consonnes sonores ne sont pas sonores immédiatement et s'assourdissent presque toujours en finale (1). Un Français interprète : *b*on, comme *p*ont de la part d'un Allemand ou d'un Danois, qui auront prononcé ce qu'on pourrait noter par [p-*bon*]. Il entendra ca*ch*e, alors qu'un Anglais aura dit en fait « cage » [kaʒʃ]. Chaque fois que la sonorité ne commence pas assez tôt ou s'arrête trop *tôt*, un Français pourra entendre la consonne sourde correspondant à la sonore mal articulée. Si la sonorité s'arrête trop tôt, la cause en est due souvent au défaut signalé ci-dessus, le manque de détente de la consonne finale. **Cette détente *sonore*** (parfois un petit *e* muet) **favorise le maintien de la sonorité de la consonne.**

10

CONSONNES EN CONTACT

Lorsque deux consonnes françaises du même groupe, sourd ou sonore, se trouvent en contact, elles ne changent pas.

EXEMPLE : a*pt*itude (2 sourdes : *pt*) ; a*bn*égation (2 sonores : *bn*).

Mais lorsque deux consonnes de nature différente, une sourde et une sonore, se trouvent en contact, l'une d'elles peut avoir une influence sur l'autre. On dit qu'on a une ***assimilation.*** En français, le groupe *bs* dans o*bs*ervation, se prononce comme *ps*,

1. Il y a des cas où il s'agit simplement de problèmes de distribution (*voir ci-dessus, chapitre II, paragraphe* 2, *p.* 43). Ainsi les consonnes sonores n'existent pas en finale en allemand. Les consonnes sonores finales tendent à s'assourdir dans beaucoup de langues, surtout si les oppositions avec des sourdes dans cette position sont peu nombreuses.

alors qu'en anglais il se prononce comme *bz*. On peut donc avoir affaire à des problèmes de distribution de groupes consonantiques, résolus de façons diverses selon les langues ou bien à des problèmes purement phonétiques. En français : lorsque les consonnes en contact sont dans deux syllabes différentes, c'est la deuxième qui assimile la précédente :

ab/sent, mer/ci, cave̸ sombre (*b*, *r* et *v* sont devenus sourds), *anec/dote, coupe̸ de champagne, on se voit*, (*k*, *p*, *s*, sont devenus sonores).

Lorsque les consonnes en contact sont dans la même syllabe, le seul cas important est celui où la sourde (*p*, *t*, *k*, *f*, *s*, ʃ) assimile la sonore. En pratique, on peut considérer que l'assimilation est totale en initiale des groupes du type :

je̸ pars [ʃpar], *je̸ trouve* [ʃtruv], etc.

II

POINT D'ARTICULATION : RÉSONANCE ANTÉRIEURE

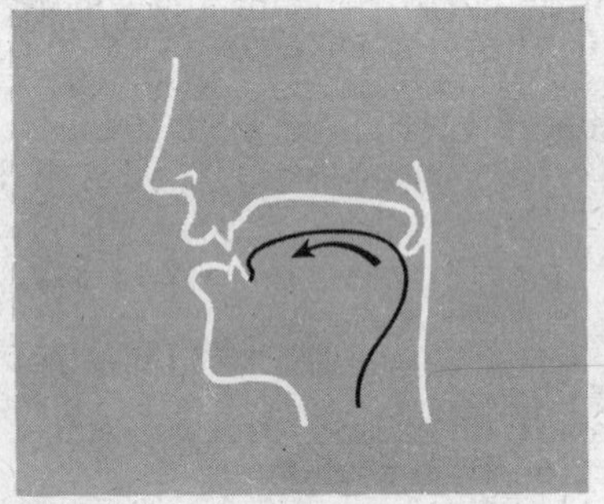

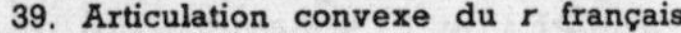

39. Articulation convexe du *r* français.

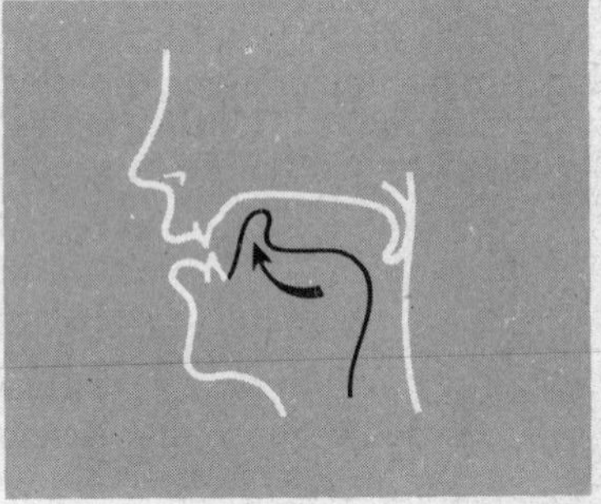

40. Articulation concave (rétroflexe) du *r* anglais.

L'articulation française est caractérisée, acoustiquement, par sa résonance antérieure claire. Cette résonance est due non pas tellement au fait que dix voyelles sur seize soient antérieures, mais surtout à la **fréquence d'utilisation des phonèmes antérieurs,** en particulier des voyelles (voir p. 42, tableau XI). Il y a en fait trois fois plus de voyelles antérieures utilisées que de voyelles postérieures (environ 78 % contre 22 %). **Cette résonance anté-**

rieure est due également à une habitude articulatoire très caractéristique : la convexité de la langue pour la production des *consonnes* aussi bien que des voyelles. Pour ne prendre qu'un exemple, les consonnes *t*, *d*, *n* sont dentales en français, alors qu'elles sont articulées plus en arrière dans d'autres langues (anglais, allemand, etc.) et dans certains groupes linguistiques on trouve des consonnes très nettement rétroflexes, qui n'existent jamais en français.

12

TYPES D'EXERCICES PRATIQUES

Ce chapitre comporte de nombreux exercices (voir *Exercices systématiques*). Nous ne ferons que rappeler des conseils élémentaires et donner quelques exemples de procédés de correction.

- ***Tension musculaire :***

Cet exercice doit s'effectuer surtout avec les oppositions des voyelles *écartées* et *arrondies*, l'utilisation d'un miroir est indispensable. Pas de grimaces, mais des mouvements nets et précis (voir types d'exercices, p. 18).

- ***Pureté des voyelles :***

C'est une question d'audition et de tension musculaire. Exercices à pratiquer en même temps que les exercices de syllabation ouverte (voir pp. 59, 62, 63) et de finale vocalique.

- ***Attaque vocalique :***

Avancez — Asseyez-vous
Entrez — Où est-il...

- ***Voyelles en contact :***

Il a été invité
Elle a eu peur
J'ai une idée...

- ***Tension des consonnes :***

Prenez-en un peu plus
Prêtez-moi la clef
Vous croyez que c'est bleu?...

- ***Consonnes p, t, k, sans souffle :***

Pouvez-vous vous pousser un peu?
Est-ce tout ce que tu trouves?
Qu'est-ce que c'est que ça?...

- *Détente des consonnes finales :*

  Tu les aimes, les pommes?
  Il est en panne? Ça m'étonne.
  Elle est laide et stupide...

- *Début et finale des consonnes sonores :*

  Buvez-vous du vin rouge?
  Dansez-vous avec Françoise?
  Vous allez à la cave?...

- *Consonnes en contact :*

  J(e) vous ai observé.
  J(e) pense que j(e) t'ai dit ça.
  Vous prenez une coup(e) de champagne?...

- *Résonance antérieure :*

  Reste ici avec ta sœur.
  Avec qui part-il ce soir?
  J'arriverai à Paris à sept heures...

13

PRINCIPES POUR LA CORRECTION DES TRAITS GÉNÉRAUX DES HABITUDES ARTICULATOIRES

Les fautes concernant les traits généraux des habitudes articulatoires entravent généralement peu la compréhension. Néanmoins les bonnes habitudes articulatoires doivent être prises le plus tôt possible et il sera bon d'alterner les leçons sur l'articulation proprement dite et celles sur les traits généraux que nous venons d'exposer. Il faudra y revenir très longtemps avant d'arriver à la perfection.

14

PROCÉDÉS DE CORRECTION PHONÉTIQUE POUR LES ATTAQUES ET LES ENCHAINEMENTS VOCALIQUES

Pour supprimer une *attaque dure* (contraction des cordes vocales), faire précéder la voyelle d'une légère expiration (les cordes vocales s'écartent alors et la voyelle commence doucement).

Lorsque les **enchaînements** vocaliques ne sont pas bien faits (staccato, heurts entre voyelles), c'est que l'étudiant s'arrête d'une voyelle à l'autre et attaque la voyelle suivante par un coup de glotte. Faire lier les voyelles en prolongeant la première. Accompagner d'un geste de la main. Noter éventuellement le changement de ton d'une voyelle à l'autre.

15

PROCÉDÉS DE CORRECTION PHONÉTIQUE POUR LE SOUFFLE DES CONSONNES (« aspiration ») : P, T, K

C'est la faute opposée à celle de l'occlusion glottale. L'air s'échappe avec la consonne parce que les cordes vocales ne sont pas rapprochées au moment de commencer l'articulation de la consonne. L'air s'accumule dans la bouche pendant le temps de fermeture de la consonne et s'échappe ensuite au moment de « l'explosion » de cette consonne. Faire articuler des syllabes comme *pa*, *ta*, *ka*, en faisant contracter la glotte : blocage des cordes vocales comme lorsqu'on va tousser ou lorsqu'on fait un effort de contraction de la paroi abdominale. **Montrer qu'en français on anticipe la voyelle avant d'articuler la consonne.** Les cordes vocales sont rapprochées, prêtes à commencer l'émission de la voyelle avant même que l'articulation de la consonne ne soit commencée. Quand cette consonne « explosera », on entendra aussitôt le son de la voyelle sans souffle parasite entre les deux phonèmes.

Un autre procédé de correction consiste à faire précéder d'un *s* les consonnes *p*, *t*, *k*. (Comparer le *k* anglais de *s*chool avec celui de *c*ool. Le premier n'est pas « aspiré », le second l'est.)

16

PROCÉDÉS DE CORRECTION PHONÉTIQUE POUR LA DÉTENTE DES CONSONNES FINALES

Si une consonne finale n'a pas de détente, faire deux syllabes de la syllabe finale en plaçant la consonne finale à l'initiale de la deuxième syllabe. Pour former cette deuxième syllabe, ajouter un petit *e* comme dans *le* ou, après une consonne sourde, un léger souffle ou un *e* caduc très assourdi.

EXEMPLE : bague [ba-g^{ə}] ; bac [ba-k^{h}] ; neuve [nœ-v^{ə}] ; neuf [nœ-f^{h}].

17

PROCÉDÉS DE CORRECTION CONCERNANT LA RÉSONANCE ANTÉRIEURE

La résonance antérieure s'acquiert surtout par l'imitation, elle-même conditionnée par une bonne audition. Mais certains éléments comme le relâchement de l'articulation et la nasalisation sont de sérieux obstacles à la production d'une résonance antérieure (voir *Procédés de correction*, p. 21 et 63).

Mais c'est surtout le *r* rétroflexe, particulièrement le *r* anglais et anglo-américain qui entrave la clarté des sons en favorisant une résonance postérieure, voire pharyngale, bien connue — qui ressemble un peu à celle du « parisien faubourien ». La correction du *r* (voir p. 35) donnera de la clarté à l'articulation, en dégageant toute la partie avant de la bouche. Veiller à ce que le *r* soit articulé sans labialité si la voyelle qui le suit n'est pas elle-même arrondie.

18

PROCÉDÉS DE CORRECTION CONCERNANT LA PALATALISATION

Noter que la palatalisation ne se produit guère que devant une voyelle antérieure : *i*, *é*, *eu*, *u*... On entend [kji] au lieu de [ki], [kje] au lieu de [ke], etc. Faire comparer avec *k*, ou *t*, suivis de voyelles postérieures telles que *o* et *ou*. Faire prendre conscience du recul de l'articulation dans le cas de non-palatalisation. Contrôler à l'audition.

19

AUTRES PROCÉDÉS DE CORRECTION

Voir les procédés indiqués ci-dessus, p. 33 et suivantes, concernant en particulier *la sonorisation des consonnes*.

II. - HABITUDES SYLLABIQUES DU FRANÇAIS

1

NOYAU SYLLABIQUE

En français, le noyau d'une syllabe est toujours constitué par une voyelle (1), alors qu'il peut être formé d'une consonne (*r* ou *l*) dans d'autres langues. (Cf. tchèque : [v*l*k, p*r*st]...).

2

DIVISION SYLLABIQUE

Une consonne entre deux voyelles se lie toujours à la deuxième voyelle : été = é-té.

Les consonnes doubles (sauf exceptions, cf. p. 45 et 68) se prononcent comme une seule consonne : pommier = po-mier.

Deux consonnes différentes se séparent : parti = par-ti.

Mais les groupes *consonne* + *r* et *consonne* + *l* ne se séparent jamais : a*pr*ès = a-près ; ta*bl*eau = ta-bleau.

3

FRÉQUENCE DES GROUPEMENTS SYLLABIQUES TYPES

En français, les syllabes les plus fréquentes (en gros dans une proportion de 80 %) sont les *syllabes ouvertes*. On appelle ainsi les syllabes terminées par une voyelle. (La voyelle est un phonème *ouvert* par rapport aux consonnes.) La plupart des syllabes se terminent donc avec une ouverture de la bouche, ce qui donne au français une de ses caractéristiques essentielles : l'impression d'une langue très vocalique, donc claire et sonore, par rapport à toutes les autres langues. (En particulier l'allemand dont la proportion de *syllabes fermées*, c'est-à-dire terminées par une consonne, est très élevée, en gros 70 %, l'inverse de la proportion française. On trouve une proportion voisine dans la plupart des langues anglo-saxonnes.)

---

1. Sauf dans des onomatopées, ou des syllabes expressives du genre : pstt ! chtt !

4

CONSÉQUENCES DE LA SYLLABATION OUVERTE

a) *Stabilité syllabique*

On a déjà signalé plus haut que la tension musculaire garde à la voyelle le même timbre du début à la fin. Cette tension est soutenue d'autant plus facilement que la consonne qui suit appartient généralement à la syllabe suivante. La transition que constitue la consonne ne gêne donc pas la voyelle qui peut garder une articulation nette du début à la fin (voir *schémas*, p. 49).

Au contraire, dans d'autres langues, les syllabes ne sont pas stables, elles peuvent changer de timbre et de ton, surtout lorsque ces voyelles sont suivies dans la même syllabe de consonnes rétroflexes comme *r* et *l*. (Par exemple, le *l* final en anglais, en portugais et dans les langues slaves ou en hongrois.)

b) *Pureté vocalique : pas d'influence des consonnes nasales*

A côté du *r* et du *l*, les consonnes nasales ont souvent une influence sur les voyelles qui les précèdent, dans les langues où la tension musculaire et la syllabation ouverte sont moins importantes qu'en français. Ainsi pour un Espagnol, le mot *corazón* est souvent prononcé avec une voyelle nasale dans la finale *on*. C'est dire que pour lui la différence entre *bon* et *bonne* ne paraît pas significative. De même pour un Anglais, que *ham* soit prononcé avec ou sans nasalisation n'apporte aucune modification au sens du mot.

C'est parce que le français distingue sur le plan de la compréhension *plein* de *pleine*, *dans* de *dame*, *bon* de *bonne* que voyelles orales et nasales sont bien différenciées dans l'articulation. (En dehors du français, seuls le portugais et le polonais font cette distinction.) Mais c'est aussi parce que la tendance à la syllabation ouverte protège la voyelle orale suivie d'une consonne nasale. Dans un cas comme celui de *pleine*, la coupe syllabique tend à être : plei/n(e). C'est, rappelons-le, cette même tendance qui favorise la détente des consonnes finales (voir p. 52) et protège l'intégrité des consonnes sonores dans cette position.

c) *Enchaînement consonantique*

Le phénomène de syllabation ouverte entraîne une conséquence importante : si un mot se termine par une consonne et que le suivant commence par une voyelle, les deux mots s'unissent étroitement :

Il a une autre idée ⟶ i-la-u-nau-tri-dée

Ce mécanisme s'appelle l'*enchaînement*. Il se produit systématiquement à l'intérieur d'un groupe de mots homogène (voir *Groupe rythmique*, p. 65). C'est ainsi que le Français peut faire des calembours du type :

Le tailleur est ailleurs (est tailleur).
Les vêtements sacerdotaux (ça sert d'auto).

L'enchaînement constitue une des grandes difficultés pour la compréhension auditive du français qui, contrairement à la plupart des langues, ne détache ni les mots ni les syllabes. Les professeurs feront bien d'habituer leurs élèves à cette réalité, au lieu de les bercer de l'illusion d'une diction artificielle. Les exercices de compréhension auditive doivent être faits à vitesse normale, afin d'obliger les étudiants à saisir globatement les *mots phoniques* et non les mots isolés.

d) *Liaison*

La liaison n'est qu'un cas particulier de l'enchaînement. La différence entre les deux phénomènes est surtout que la consonne de liaison ne se prononce qu'occasionnellement :

Il y es*t* (sans *t*) Il y es*t* allé (avec *t*)
Prends-le*s* (sans s) Le*s* autres... (avec z)

On ne fait de liaison, dans le français parlé courant, qu'à l'intérieur d'un groupe de mots, c'est-à-dire toujours d'un mot inaccentué à un mot accentué, ou entre mots inaccentués (1).

5

TIMBRE DES VOYELLES ET DÉCOUPAGE SYLLABIQUE

Dans certaines langues, le timbre des voyelles dépend de leur longueur (cf. anglais, *sit* et *seat;* all., König et können, etc.). En français, la longueur, facteur secondaire (voir rythme), n'a pas d'influence sur le timbre de la voyelle (sauf peut-être un peu pour le [a]).
En français, à la finale prononcée, c'est essentiellement la nature de la syllabe qui détermine le timbre de la voyelle. On peut résumer ainsi la prononciation des voyelles accentuées françaises :

1. Pour le mécanisme de la liaison, voir notre *Prononciation du Français Standard*, en particulier le tableau de la page 120.

TABLEAU XII

Timbre des voyelles accentuées (finales prononcées)

	Syllabe ouverte (terminée par la voyelle) = *voyelle fermée*	*Syllabe fermée* (terminée par une consonne prononcée) = *voyelle ouverte*
E	fée [fe]	fête [fɛt]
EU	ceux [sø]	seul [sœl]
O	seau [so]	sol [sɔl]

On peut corriger la simplification de ce tableau, valable surtout pour des débutants, en ajoutant deux grandes séries d'exceptions : **les finales** [ø:z], comme dans *menteuse*, et **les finales** [o:z], comme dans *rose*.

Pour les voyelles inaccentuées, on peut toujours tolérer un timbre moyen. On prononce parfois un timbre plus ou moins fermé selon les mots. Ainsi le premier *é* de ***été*** est *fermé*, celui de permettre est *ouvert*, mais dans un débit courant assez rapide, la différence entre ces deux **é inaccentués,** s'atténue et peut disparaître complètement. Quant au **o**, il a tendance à devenir plutôt ouvert en position inaccentuée.

Les mots comme joli sont presque tous avec un *o* nettement ouvert.

Il y a évidemment beaucoup d'exceptions à ces règles générales. Mais la question du timbre des voyelles est secondaire par rapport à tous les caractères généraux de la prononciation examinés jusqu'ici. Les timbres doivent être précisés au fur et à mesure de la correction et on peut en faire un objet d'étude plus important au niveau supérieur (1)

6

TYPES D'EXERCICES PRATIQUES

● *Syllabation ouverte*

J'ai-dé-jà-vu-ça.
Pa-rtez-vous-ou-rè-stez-vous ?
C'es-tè-xtra-o-rdi-nai-re...

1. Voir à ce sujet les règles détaillées dans l'*Aide-mémoire d'orthoépie*.

- *Syllabation ouverte et non nasalisation*

  J'ai-mbeau-coup-la-crè-m(e). J'ai-ma-ssez-les-po-mm(es)...

- *Syllabation ouverte et enchaînement*

  Elle‿est malade‿et triste‿aussi Il‿est seul‿avec‿un‿enfant

- *Syllabation et timbre :*

  J'ai celle que j'aime. (Opposition [e] / [ɛ])
  Ceux de sa sœur. (Opposition [ø] / [œ])
  Il est faux qu'elle soit folle... (Opposition [o] / [ɔ])...

7

PROCÉDÉS DE CORRECTION CONCERNANT LA SYLLABATION

Une syllabation fermée donne l'impression d'une articulation consonantique souvent difficile à analyser lorsqu'on n'en a pas l'habitude. Quel que soit le groupe linguistique auquel appartient l'étudiant, les exercices de syllabation ouverte sont essentiels. Faire allonger chaque voyelle. Contrôler la stabilité du timbre et du ton (exercices monocordes d'abord). Contrôler la finale vocalique, nette sans être trop brusque. **Augmenter progressivement la difficulté en passant de syllabes normalement ouvertes, du type : *dé-jà*, à des syllabes fermées, qu'on obligera à prononcer ouvertes dans un but correctif,** comme dans *extraordinaire* [ɛ-kstra-ɔ-rdi-nɛ-rᵊ]. Avec ce principe, il n'y a pas de consonne finale — ce qui résout les problèmes de détente et de sonorisation (voir pp. 52 et 53). Si, malgré les exercices de syllabation ouverte, une nasalisation de la voyelle se produit, par suite de l'anticipation (fait psychologique), remplacer la consonne nasale par la consonne orale correspondante (voir p. 21 *Dénasalisation d'une voyelle orale*). Faire entendre et comparer la voyelle dans les deux cas. Les exercices d'enchaînement doivent succéder aux exercices de découpage syllabique de syllabation ouverte, pour éviter que les élèves ne prennent l'habitude de scander les mots. La syllabation ouverte permet le contrôle des timbres, l'enchaînement replace la syllabe dans les conditions normales de l'élocution.

8

PROCÉDÉS DE CORRECTION CONCERNANT LES TIMBRES VOCALIQUES

Procéder au début par les oppositions de timbres déterminées par la structure de la syllabe, telles que *ces* [se] / sec [sɛk]. Pour les procédés de correction proprement dits, se reporter aux paragraphes 14 à 17, pages 20 à 23.

III. - HABITUDES ACCENTUELLES.

1
ACCENT TONIQUE

L'accent « *tonique* » *est l'accent normal du français*, lorsqu'on parle sans émotion, sans affectation, sans insistance expressive ou didactique. La voyelle qui reçoit l'accent est appelée *accentuée*. Les autres voyelles sont dites *inaccentuées*.

2
PLACE DE L'ACCENT TONIQUE

Contrairement à ce qui se passe dans la plupart des langues, en français, l'accent tonique est toujours placé sur la **dernière voyelle prononcée**. (Il est facile de montrer la différence en prenant des mots qui sont communs au français et à d'autres langues.)

EXEMPLE : nation*a*l, administrati*o*n, chocol*a*t...

Noter que l'*e caduc final*, n'est pas prononcé :

EXEMPLE : *a*im(e), *e*ntr(e), t*a*bl(e), qu*a*tr(e), prenn(ent).

L'*e* caduc final est accentué dans le pronom personnel *le*, après une forme verbale du type :

Prends-*le*, mange-*le*, donnez-*le*.

(et exceptionnellement dans des formules comme : sur *ce*, parce *que*, suivies d'une pause).

3
ACCENT DE MOT ET ACCENT DE GROUPE

L'anglais, l'arabe, l'allemand, l'espagnol, pour ne citer que quelques cas bien connus, ont une accentuation lexicale, c'est-à-dire que le mot garde toujours son individualité, et son accentuation, quelle que soit sa place dans la phrase. Au contraire, en français, le mot perd son individualité au profit du groupe. A mesure que le groupe s'allonge, l'accent se déplace pour se reporter toujours sur la syllabe finale :

Mon***sieur***, Monsieur J*ean*, Monsieur Jean Dup*ont*.
Dorm*ez*, Dormez b*ien*, Dormez bien ***vi***te.
Je le ***sais***, Je le *sais* **trop**, Je le sais trop **bien**.

4

DÉTERMINATION DE L'ACCENT DE GROUPE LE « GROUPE RYTHMIQUE »

En français, les mots se groupent donc entre eux pour former ce qu'on appelle un « groupe rythmique » : ***Un groupe rythmique est un groupe de mots qui représente une idée.*** Il forme une *unité de sens*, qui coïncide généralement avec une clausule grammaticale. On peut dire à cet égard que l'accent français est syntaxique.

EXEMPLE : Attendez-moi **donc.** / Je ne serai pas très **long** / et je vous apporter**ai** / ce que vous m'avez deman**dé**.

On a signalé ce phénomène à propos de l'enchaînement.

Le groupe peut être très court ou très long.

EXEMPLE : « Va, cours, vole, et nous venge. » (Corneille, *Le Cid*, v. 290.) « Ce qu'il y a de plus fatal est qu'au lieu de savoir me taire quand je n'ai rien à dire c'est alors que pour payer ma dette, j'ai la fureur de vouloir parler. » (J.-J. Rousseau, *Confessions*, L. III.)

Les groupes rythmiques français ne sont jamais très longs (en général de 3 à 7 syllabes). Un groupe long tend à se séparer en deux groupes courts, *dans un débit lent*. Ainsi le groupe ci-dessus :

est qu'au lieu de savoir me t*ai*re,

tend à se scinder ainsi :

est qu'au li*eu* de sav*oi*r me t*ai*re,

si le ton se fait explicatif ou le débit lent.

5

GROUPE RYTHMIQUE ET GROUPE DE SOUFFLE

Un groupe de souffle est un groupe terminé par une pause. Un groupe de souffle peut être constitué par *un* ou *plusieurs* groupes rythmiques — le groupe rythmique étant essentiellement un groupe de mots, dont la dernière syllabe est accentuée. Selon la vitesse du débit, on peut avoir beaucoup ou peu de groupes de souffle.

EXEMPLE : « Tu ne sais rien ! Tu comprends, / puisque je te lâche mon paquet, / aujourd'hui, / comme une bonne qu'on flanque à la porte, / je veux te le crier une fois encore ; / c'est ce qui m'a fait le plus de mal. / Tu ne sais rien./ » (J. Anouilh, *La Sauvage*.)

Toute cette tirade, qui comporte treize groupes rythmiques, comprend huit groupes de souffle, mais peut aussi bien ne comporter qu'un seul groupe de souffle si elle est dite rapidement avec le style de la colère.

6

NATURE DE L'ACCENT TONIQUE

Toute voyelle accentuée présente trois caractères :

- — *Force*
- — *Durée*
- — *Ton*

a) ***Une voyelle accentuée est légèrement plus forte*** que les autres voyelles (voyelles inaccentuées). Mais, en français, *la force* (ou intensité physique) dépensée pour la voyelle accentuée *est négligeable*. On peut considérer que, dans un groupe rythmique, toutes les syllabes ont sensiblement la même force articulatoire, ce qui est différent dans la plupart des autres langues (en particulier les langues germaniques). Il faut donc s'exercer, en français, à prononcer toutes les syllabes d'un même groupe sans augmenter la force sur une syllabe ou l'autre.

b) ***Une voyelle accentuée est plus longue*** que les voyelles inaccentuées. La voyelle accentuée est environ *deux fois plus longue* que les autres. On pourrait représenter ainsi une succession de voyelles inaccentuées suivies de voyelles accentuées :

Répondez - - —	Je l(e) sais - —
Répondez-moi - - - —	Je l(e) sais trop - - —
Répondez-moi donc - - - - - —	Je l(e) sais trop bien - - - —

Il peut arriver que la voyelle finale soit encore plus longue lorsqu'elle est suivie d'une des consonnes [r], [z], [v], [ʒ].

pire [pi : r] est plus long que pic [pik] ;
cage [ka : ʒ] est plus long que cap [kap]...

Les voyelles [ø], [o], [ɑ] et les voyelles nasales, suivies d'une consonne prononcée, sont également plus longues en finale qu'une autre voyelle accentuée :

côte [ko : t] est plus long que cotte [kɔt] ;
pâte [pɑ : t] est plus long que patte [pat]...

Mais ces variations de longueur ont peu d'importance (1), alors que dans certaines langues, comme en arabe, en allemand, en anglais..., au contraire, le sens d'un mot peut changer selon qu'on emploie la même voyelle brève ou longue.

c) *Une voyelle accentuée change de ton*

Par comparaison avec les autres langues, sauf peut-être l'italien, le changement de ton est l'élément le plus caractéristique de l'accent tonique français. La voyelle accentuée peut monter ↑ ou descendre ↓ par rapport aux voyelles inaccentuées. (Ces changements de tons constituent l'intonation qui sera étudiée ci-dessous, p. 72.)

Le français est caractérisé par l'emploi presque constant de tons montants sur les voyelles finales de groupes.

Je ne sais pas ↑ si on vous a raconté ↑ cette histoire ↑ qui est arrivée à mes amis ↑ la semaine dernière ↑ ...

C'est le contraire dans une langue comme l'anglais, où la chute de ton après la voyelle accentuée est très caractéristique. Comme la voyelle accentuée est rarement finale en anglais, l'aspect mélodique général du mot ressemble à une vague dans cette langue.

7

ACCENT D'INSISTANCE

A côté de l'accent *tonique*, placé sur la *dernière voyelle prononcée*, il existe un autre accent, employé pour rendre expressifs certains mots. C'est l'*accent d'insistance*.

8

PLACE DE L'ACCENT D'INSISTANCE

L'*accent d'insistance* est placé sur la *première consonne prononcée* du mot à mettre en relief.

EXEMPLE : *M*erveilleux ! *M*agnifique ! *F*ormidable ! *D*égoûtant ! *T*aisez-vous !

---

1. Voir pour ces détails *Prononciation du Français Standard*, pp. 18-20.

Lorsque le mot à renforcer commence par une *voyelle*, précédée par une *consonne de liaison*, cette consonne peut devenir la consonne d'insistance.

EXEMPLE : C'est *t* inutile, il est *t* idiot, c'est *t* abominable.

Mais on peut choisir entre :

Vous êtes idiot et vous êtes idiot
z *d*
(la seconde possibilité semble plus affective.)

9

NATURE DE L'ACCENT D'INSISTANCE

L'accent d'insistance consiste surtout à *allonger ou à redoubler* la première consonne, en même temps que le ton s'élève généralement sur toute la syllabe, qui peut être modulée de bien des façons différentes, selon l'expression à rendre :

EXEMPLE : *M*erveilleux ! *F*ormidable ! I*ll*isible !
[i*ll*izibl]

Un autre type d'accent d'insistance, très intellectuel, consiste à allonger démesurément la première voyelle du mot :

EXEMPLE : Elle est a—dorable ; il est sen—sationnel.

Lorsque le mot à renforcer commence par une *voyelle* (non précédée par une consonne de liaison), l'accent d'insistance peut être fait à l'aide d'un coup de glotte. Les cordes vocales se contractent brusquement, comme pour tousser (voir chap. II, p. 49).

EXEMPLE : *E*ncore ! *I*diot ! *I*nimaginable ! *A*rrêtez !

10

EMPLOI DE L'ACCENT D'INSISTANCE

L'accent d'insistance est fréquent dans le parler expressif, surtout populaire. Il est également fréquent dans une élocution didactique ou pédante, qui consiste à mettre en relief chaque mot. Il doit être utilisé avec précaution et discrétion. Dans les textes littéraires, il peut aider à traduire certains effets stylistiques.

IV. - HABITUDES RYTHMIQUES

1

ÉGALITÉ DE DURÉE DES SYLLABES INACCENTUÉES

Le rythme du français est caractérisé par l'***égalité de durée des syllabes inaccentuées,*** alors que beaucoup de langues (particulièrement celles qui utilisent les oppositions de longueur à des fins linguistiques, comme l'arabe) sont au contraire caractérisées par une inégalité constante des syllabes inaccentuées. La prosodie des langues nordiques, germaniques, etc., repose sur l'alternance des longues et des brèves comme autrefois celle du latin et du grec.

2

E CADUC ET RYTHME

Dans les langues qui possèdent des voyelles longues et brèves en toutes positions, les brèves sont généralement très brèves et les longues très longues. Les voyelles très brèves de l'anglais par exemple donnent souvent l'impression d'être supprimées complètement. Mais en prêtant attention, on remarque souvent que la voyelle subsiste encore un peu. En français, seul l'E caduc (ou E muet) peut tomber et lorsqu'il tombe, il ne laisse plus de trace. Lorsqu'il reste, il a la valeur de n'importe quelle autre voyelle. Quelles qu'elles soient, les voyelles *inaccentuées* restent donc pratiquement de même durée.

Je n(e) me l(e) rappell(e) pas exactement - - - - - - - - —

Tu n(e) me d(e)mand(e)s pas c(e) que j(e) f(e)rai - - - - - —

Il ne t(e) donn(e)ra pas ce p(e)tit r(e)cueil de vers - - - - - - - - - - —

3

CHUTE DE L'E CADUC

En finale, l'e caduc tombe toujours.

EXEMPLE : il parl(e) ; il tomb(e).

Ailleurs, la chute ou la conservation de l'e caduc dépend beaucoup du style (1). Mais, *dans la langue courante*, ***l'e caduc tombe s'il n'est précédé que d'une consonne prononcée :***

l'épic(e)rie.

1. Voir *Prononciation du Français Standard,* pp. 68-73.

L'e caduc reste s'il est précédé de plus d'une consonne prononcée :

gouvernement.

Quand on a *plusieurs* e *caducs à la suite, en début de groupe,* généralement le premier reste et le second tombe :

Je n(e) sais pas ; je m(e) demande ; je l(e) sais.

Sauf pour les groupes *c*(e) *que* et *j*(e) *te*. Mais il y a beaucoup de tolérances possibles. Ainsi, on peut dire je m(e) ou j(e) me, je l(e) ou j(e) le, etc.

4

RYTHMES FRANÇAIS TYPE

Certains groupes rythmiques reviennent plus fréquemment que d'autres. Ils doivent être étudiés spécialement, surtout par comparaison avec les rythmes étrangers du même nombre de syllabes. Ce sont principalement les groupes de trois et quatre syllabes (ternaires et quaternaires). (Il n'est donc pas étonnant que l'alexandrin soit le vers français par excellence. Les combinaisons 3 + 3 et 4 + 2 y sont faciles.)

a) *Rythme ternaire :*

Descend*ez*, Attend*ez*, Ecout*ez*, Patient*ez*.
Vous av*ez*, vous aim*ez*, vous trouv*ez*, vous mang*ez*.
Nous av*ons*, nous aim*ons*,...

La plupart de ces groupes introduisent dans la phrase un accent très faible, appelé *accent secondaire*.

EXEMPLE : Vous av*ez* certain(e)*ment* répon*du* qu'il vien*drait* en voi*tu*re (2 accents prin*cipaux*, 3 se*condai*res)

J'ai fi*ni* d(e) dî*ner* à neuf *heu*res du *soi*r (2 principaux, 2 secondaires)

b) *Rythme quaternaire :*

Télépho*nez*, intéress*ant*, médica*ment*, admira*tion*...
J'ai discu*té*, j'ai répon*du*, j'ai atten*du*...
Vous avez *dit* qu'il arriv(e)*ra* mardi ma*tin*...

5

COMBINAISONS RYTHMIQUES

En dehors des groupes de trois et quatre syllabes, on trouve de nombreuses combinaisons possibles.

Dépêchez-vous d'écrire, je vous attends.
1 2 3 4 / 1 2 / 1 2 3 4

Il dit qu'il viendra un peu plus tard.
1 2 / 1 2 3 / 1 2 3 4

Dans ces combinaisons, certains groupes courts ont des finales très peu marquées.

6

ÉGALITÉ D'INTENSITÉ RYTHMIQUE
ENCHAINEMENTS

Le rythme du français est caractérisé par l'absence de staccato. ***Les accents secondaires ne sont jamais des accents de force,*** mais de hauteur.

Toutes les syllabes inaccentuées sont pratiquement égales du point de vue de l'intensité et, comme on l'a vu, l'absence d'occlusion glottale et la syllabation ouverte favorisent l'enchaînement à l'intérieur du groupe rythmique. *Toutes les syllabes sont étroitement liées jusqu'à la syllabe accentuée.* On passe de l'une à l'autre insensiblement sans aucun heurt :

J'ai‿eu‿aussi‿un‿autre‿ennui...

Il‿va‿arrive(r)‿avec‿elle.

7

APPLICATION PRATIQUE
PROCÉDÉS DE CORRECTION
ACCENTS ET RYTHME

Il faut, dès les premières leçons, donner conscience de l'accentuation et du rythme.

Faire déterminer les groupes rythmiques. Puis, dans un premier temps, faire un **découpage syllabique** (syllabation ouverte), en scandant légèrement. **Rythmer** d'un geste de la main. Dans un deuxième temps, reprendre tout le groupe (enchaînement) et, en faisant un geste ample de la main, montrer que **l'accent va toujours se reporter à la fin du groupe.** Ne mettre d'abord qu'un accent de longueur. Puis un accent mélodique. Eviter les accents d'intensité.

Pour les accents d'insistance — à ne pas apprendre trop tôt — commencer par des mots à consonnes fricatives, qu'on peut prolonger longtemps. Par exemple : « c'est ffffformidable ! », prolonger le *f* longtemps, suivre d'un geste de la main, n'articuler le *o* que lorsque la main arrive au bout de sa course. Insister sur la longueur de la consonne plutôt que sur sa force. Eviter les montées exagérées sur la voyelle qui suit.

V. - HABITUDES INTONATIVES.

I

TONS

Dans une intonation française neutre, sans nuance affective particulière, on peut dire qu'*en général* (d'un point de vue pédagogique) :

— le ***ton uni*** caractérise les *syllabes inaccentuées* d'un groupe rythmique ;

— le ***ton montant*** indique la *continuité* ou l'*interrogation* et certains types exclamatifs ;

— le ***ton descendant*** indique la *finalité* ou l'*ordre impératif* et certains types exclamatifs ;

— un ton spécial, dont on parlera plus loin, indique l'implication, la pensée non achevée.

EXEMPLE : « Un froissement doux (↑ *continuité*), un chuchotement monotone (↑ *continuité*), presque syllabé (↑ *continuité*), contre les volets clos (↑ *continuité*), m'éveille progressivement... (↑ *continuité*). Je reconnais (↑ *continuité*) le murmure soyeux (↑ *continuité*) de la neige (↓ *finalité*). Déjà la neige ! (↓ *exclamation*). » (Colette, *la Retraite sentimentale*.)

Vous venez ? (↑ *interrogation*)

2

INTONATION SYLLABIQUE

Comme on l'a déjà noté à propos de la tension musculaire (p. 49), l'intonation syllabique (qui s'y est associée étroitement) est stable en français, pour les *voyelles inaccentuées*. Chaque syllabe, considérée séparément est dite sur une note soutenue, en comparaison de langues comme l'anglais où la tendance est à glisser constamment vers le grave.

A l'intérieur d'une *syllabe accentuée* française, le ton monte ↑ ou descend ↓ d'une manière nette.

3

INTONATION DE GROUPE RYTHMIQUE

Le groupe rythmique est une entité typiquement française, **l'*accent étant toujours à la finale* donne une courbe très caractéristique** qu'on peut considérer d'un point de vue correctif comme *plate* sur les syllabes inaccentuées et *montante* ou *descendante* sur la syllabe accentuée :

courbe montante ———————↑ *courbe descendante* ———————↓

Au contraire, dans la plupart des langues, l'accent étant lexical et non syntaxique, comme en français, les groupes sémantiques ont une allure très différente, qui peut avoir la forme de vagues comme en anglais, ou d'une montée en escalier, comme en allemand.

4

NIVEAUX INTONATIFS

Certaines langues comme le suédois, le finnois, le chinois, le vietnamien... utilisent les tons montants ou descendants comme signes distinctifs entre deux mots, par ailleurs absolument identiques. En thaïlandais, *ma* avec le ton montant signifie *cheval*, *ma* avec le ton descendant signifie *chien*, sans qu'aucune notion de *continuité* ou de *finalité* intervienne. S'il s'agit d'exprimer de telles notions, on fait alors intervenir des *niveaux* intonatifs différents (1).

1. On exprime aussi parfois l'interrogation en ajoutant une indication lexicale, qu'on peut alors comparer à l'adjonction de *n'est-ce pas*, ou de *est-ce que*, à une phrase de type affirmatif, en français.

5

NIVEAUX INTONATIFS FRANÇAIS

Bien que cela soit moins net en français, on peut également faire intervenir la notion de niveau intonatif. On peut distinguer quatre niveaux : le niveau 4 le plus élevé, le niveau 1 le plus bas, le niveau 2 étant le niveau normal d'attaque de la voix.

a) *Phrase énonciative.*

Elle énonce un fait. Elle utilise généralement les niveaux 2/3/1 :

4				
3		tez		
2	Vous sor-		avec	
1				elle

Diagramme intonatif 1

b) *Phrase impérative.*

Elle exprime un ordre. Si cet ordre est formel (sans implication), elle utilise généralement les niveaux 4 à 1 :

4	Des-			
3		-cen-		
2			-dez	
1				vite !

Diagramme intonatif 2

c) *Phrase interrogative.*

Elle utilise les niveaux 4 à 2 :

4	Qui			Qui					vous?
3		êtes-			êtes-		donc?	mez-	
2			vous?			vous	L'ai-		
1									

Diagramme intonatif 3

d) *Incise* :

C'est un groupe incident, intercalé à l'intérieur d'une phrase pour en modifier le sens. Il utilise le niveau 1. Ainsi dans la phrase : Il viendra, *j'imagine*, après-dîner, le groupe *j'imagine* constitue l'*incise* :

4					
3		-dra,			
2	Il vien-			après-dî-	
1			*j'imagine*,		-ner.

Diagramme intonatif 4

6

RECHERCHE DES ÉLÉMENTS MÉLODIQUES

a) Faire trouver les groupes rythmiques et leur contour mélodique.

b) Faire trouver la note mélodique la plus haute selon le type de phrase auquel on a affaire.

7

ÉLÉMENTS MÉLODIQUES DE LA PHRASE ÉNONCIATIVE

a) *Division* :

Du point de vue pédagogique, on peut présenter la phrase comme divisée en deux parties : une *sorte de question*, à la fin de laquelle se trouve le sommet de hauteur, suivi d'une sorte de réponse qui complète la première partie.

EXEMPLE : *Elle est arrivée ce matin.*

Question : *Elle est arrivée* (quand ?). (La note la plus haute est à la fin de ce groupe).

Réponse : *Ce matin.* (Partie descendante)

b) *Organisation des groupes dans la phrase énonciative* :

Le sommet de hauteur serait une sorte de charnière autour de laquelle s'articulent les groupes. Jusqu'au sommet de hauteur, les groupes montent crescendo les uns par rapport aux autres, après le sommet de hauteur, ils descendent decrescendo les uns par rapport aux autres le plus souvent.

EXEMPLE : *Si elle arrive par le train de midi, on ira la chercher avec la voiture de Jean.*

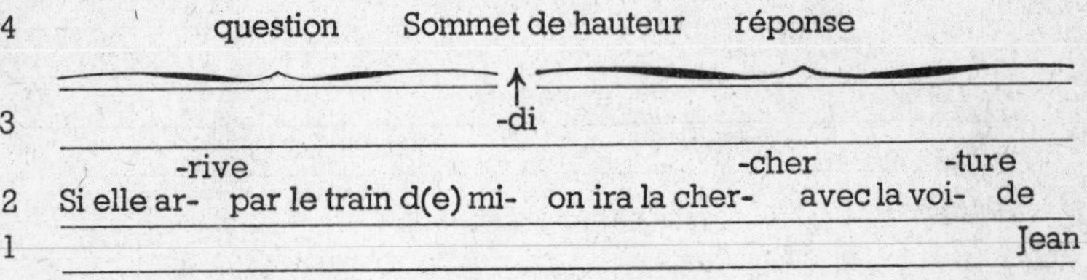

Diagramme intonatif 5

Une chute importante existe toujours après le sommet de hauteur et parfois entre l'avant-dernière syllabe et la dernière.

— La phrase peut n'avoir qu'***un seul groupe rythmique.*** S'il ne contient pas de mot important, son intonation est descendante.

EXEMPLE : Je n[e] sais pas.

— Une phrase courte peut comporter un groupe rythmique secondaire. C'est le mot le plus important qui porte alors le sommet de hauteur.

EXEMPLE : Sa **voisine** est partie.

— La phrase peut avoir ***deux groupes rythmiques*** nettement définis. Dans ce cas, il n'y a pas le choix, le sommet de hauteur se trouve forcément à la fin du premier.

EXEMPLE : Je n(e) sais **pas** / c(e) qu'il faut faire.

— La phrase peut avoir ***trois groupes ou plus.***

EXEMPLE : Je n(e) sais **pas** / c(e) qu'il faut **faire** / pour lui être agréable.

On a le choix entre le sommet de hauteur à la fin du premier groupe ou à la fin du deuxième.

c) *L'incise :*

L'incise est généralement un groupe explicatif, qui ne modifie pas la mélodie des autres éléments intonatifs. Exemple, la phrase :

4
3 frère
2 Mon va partir pour les États-
1 -Unis

Diagramme intonatif 6

devient, avec une incise :

4
3 frère
2 Mon va partir pour les États-
1 celui qui est marié -Unis

Diagramme intonatif 7

L'incise peut apparaître dans un autre cas : lorsque *l'ordre syntaxique normal n'est pas observé.*

Si on inverse par exemple, le complément d'objet indirect et le complément circonstanciel de lieu, l'ordre n'est plus normal. Dans ce cas, le complément circonstanciel de lieu est dit sur un ton plus bas, comme une incise. Comparez ainsi les deux phases suivantes :

— Phrase normale :

4
3 -ture
femme
2 Il a ach(e)té une voi- pour sa en All(e)-
1 -magne

Diagramme intonatif 8

— Phrase avec inversion syntaxique :

4
3 -ture
2 Il a ach(e)té une voi- pour sa
1 en All(e)magne femme

Diagramme intonatif 9

Il faut observer que la chute entre le sommet de hauteur et le commencement de l'incise est plus grande qu'entre deux groupes normaux (2 niveaux) et qu'après l'incise on doit remonter pour attaquer le groupe suivant (1 niveau).

8

PHRASE INTERROGATIVE

Il faut noter que la phrase interrogative ne monte pas toujours à la fin. En effet, pour qu'elle monte à la fin, il faut que la phrase réunisse deux conditions. D'abord qu'elle soit courte, ensuite qu'elle ait la forme affirmative.

L'intonation de la phrase interrogative varie selon le mode d'interrogation.

a) *Forme affirmative :*

— courte :

4		-ma ?
3	Tu vas au ciné-	
2		
1		

Diagramme intonatif 10

— longue :

4		-ma			
3	Tu vas au ciné-				
			-chain		-deaux ?
2		lundi pro-		avec tes amis d(e) Bor-	
1					

Diagramme intonatif 11

La question porte forcément sur le groupe 1 ou le groupe 2, sinon la phrase aurait une syntaxe différente, ainsi, dans l'exemple suivant :

C'est avec tes amis de Bordeaux que tu vas au cinéma lundi prochain? Le sommet de hauteur est plus haut que pour une phrase énonciative, et c'est là une des différences importantes entre les deux types de phrases. Il est, soit sur le mot *cinéma*, soit sur le mot *prochain*.

On notera que la finale remonte légèrement, alors que dans la phrase énonciative elle tombe. C'est la deuxième différence entre les deux types de phrases, énonciative et interrogative.

b) ***Forme avec inversion :***

Le sommet de hauteur est à la fin de l'inversion ; la finale est légèrement montante :

4 -elle
vous ?
3 Est- chez
2
1

Diagramme intonatif 12

c) ***Forme avec mot interrogatif :***

— *Adverbe :* le sommet de hauteur est sur l'adverbe et la finale monte légèrement :

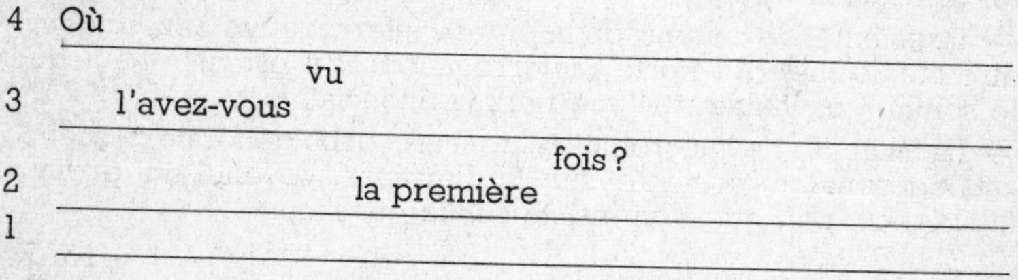

4 Où
vu
3 l'avez-vous
fois ?
2 la première
1

Diagramme intonatif 13

— *Pronom :* le schéma mélodique est semblable à celui de l'adverbe :

Qui(4) vous a raconté(3) cette histoire (2/3)?

— *Adjectif :* l'adjectif dépend du nom qu'il accompagne. C'est celui-ci qui porte le sommet de hauteur ; l'adjectif interrogatif peut porter aussi le sommet de hauteur, mais il n'y a jamais plus d'un demi-niveau de différence entre les deux mots.

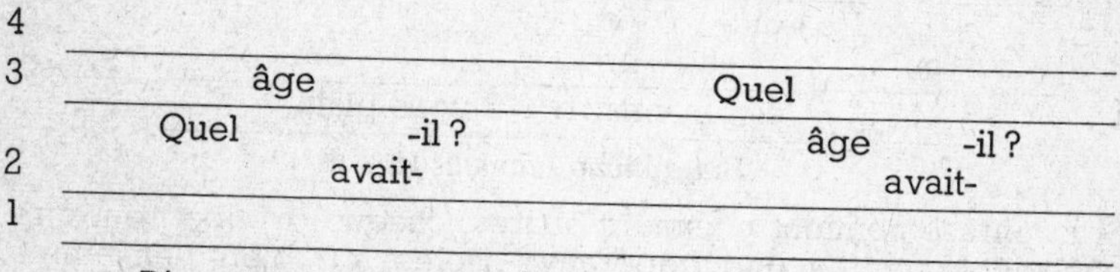

4
3 âge Quel
Quel -il ? âge -il ?
2 avait- avait-
1

Diagramme intonatif 14 ***Diagramme intonatif 15***

— *Locutions interrogatives : est-ce que* et *qu'est-ce que.* Le sommet de hauteur est sur la locution interrogative :

4
que
3 Est-c(e)
-cher ?
2 vous irez l(e) cher-
1

Diagramme intonatif 16

4
que
3 Qu'est-c(e)
faites
2 vous -di ?
1 demain après-mi-

Diagramme intonatif 17

En conclusion :

— Le sommet de hauteur de la phrase interrogative peut toujours être sur le mot qui porte l'interrogation et il est plus haut que le sommet de hauteur d'une phrase énonciative.

— La finale d'une interrogative, dont la courbe générale descend, est légèrement montante sur la dernière voyelle du groupe final, pour peu que l'on insiste sur la question.

9

PHRASE IMPÉRATIVE

Elle exprime un ordre et descend depuis la première syllabe du verbe (niveau 4) jusqu'à la fin de la phrase, en escalier (niveau 1) :

4 Do-
-nnez
3 lui
l(e) dic-
2 -tio-
1 -nnaire, s'il vous plaît.

Diagramme intonatif 18

Si la phrase contient plusieurs ordres, chaque groupe peut être considéré comme une impérative isolée, ou bien l'ensemble peut être considéré comme une énonciative.

a) *Série d'impératives :*

4			
3	Mets	va	prends
	ton	chez	une
2	man-	l(e) boulan-	ba-
	-teau	-ger	-guette
1			

Diagramme intonatif 19

b) *Enonciative :*

4			
3		-ger	
	-teau		
2	Mets ton man-	va chez l(e) boulan-	prends une
			ba-
1			-guette

Diagramme intonatif 20

10

INTONATION PHONÉMIQUE ET PHONÉTIQUE

L'étude sur l'intonation qui vient d'être présentée s'est référée sciemment à des phrases dites sur un ton normal, neutre, objectif, afin de mettre en relief ce qui différencie une phrase de tel ou tel type en français, d'une phrase du même type dans une autre langue.

Comme pour les questions de phonétique articulatoire, les problèmes d'intonation varient selon la langue d'origine des étudiants.

Ainsi, pour les langues européennes, les *niveaux* intonatifs (phonémiques) sont à peu près les mêmes, et en passant d'une langue à une autre, on reconnaît toujours le type de phrase auquel on a affaire. Une intonation faussée n'empêche généralement pas de comprendre le sens d'une phrase. La correction sera donc ici un travail de détail (*phonétique*). Il faudra empêcher tel Américain de mettre un sommet de hauteur sur le pronom atone « je », exiger du Danois, du Hollandais ou de l'Allemand qu'ils ne montent pas en escalier jusqu'à l'avant-dernière syllabe, etc. *Par contre*, pour certaines langues d'Asie et d'Afrique, il faut « recréer » l'intonation et faire comprendre l'étroite liaison qui existe entre la *syntaxe* et la musique de la phrase, à partir de *constructions grammaticales* très simples, telles que celles qu'on vient d'étudier ci-dessus.

Il conviendra de bien faire noter que l'intonation française n'a pas de valeur lexicale mais démarcative. Elle ne délimite pas les mots, mais établit des relations entre les groupes sémantiques — tout en leur transmettant une information générale (interrogation, commandement, etc.). Si le travail n'est pas fait dans ce sens, on peut avoir obtenu beaucoup de progrès en articulation et pourtant entendre des phrases absolument inintelligibles à cause d'une mauvaise intonation.

II

INTONATION NEUTRE ET INTONATION EXPRESSIVE

On a parlé jusqu'ici d'une intonation neutre, aussi objective, aussi dénuée d'intentions que possible. Or, tous les exemples donnés peuvent être contredits, si on les interprète de manière expressive. L'expérience prouve qu'une phrase chargée d'affectivité est souvent mieux reproduite par un étudiant que la même phrase dite sur un ton neutre. Faut-il donc enseigner les variations phonostylistiques? Cela serait certainement dangereux, pour plusieurs raisons :

1. Les études actuelles sur l'intonation expressive sont à peu près nulles. Un bon acteur peut dire : « Il pleut aujourd'hui » de dix ou quinze façons différentes. Il ne sait pas les expliquer et les professeurs de diction se contentent souvent de se faire imiter.

2. L'intonation neutre représente un cadre sûr, qu'il est préférable d'enseigner d'abord. On réduit ainsi à quelques schémas pédagogiquement simples, une infinité de possibilités qui seraient trop complexes pour l'étudiant moyen.

Il peut être intéressant, néanmoins, pour le professeur de connaître le mécanisme général des variations expressives possibles, à partir de la norme intonative neutre.

Ce mécanisme est commandé par ***l'implication d'intentions non formulées*** dans une phrase d'un des trois types étudiés ci-dessus (énonciatif, interrogatif, impératif). A titre d'exemple, on comparera pour l'énonciation les schémas intonatifs des phrases énonciatives suivantes :

	Phrase énonciative normale	Phrase énonciative avec implication
4		
3	-tir	-main
		-tir dès d(e)-
2	Je veux par- dès	Je veux par-
1	d(e)main	

Diagramme intonatif 21

Diagramme intonatif 22 (implique une question timide)

4		
		-ssible
3	-ssi-	
	-ble	
2	Il est impo- d'y	Il est impo- d'y
	croire	
1		croire

Diagramme intonatif 23

Diagramme intonatif 24 (implique une conviction profonde)

4		
3	nous	Elle
	ra	dé-
2	Elle déjeun(e) avec sam(e)	-jeun(e)ra di
	di	avec
1		nous sam(e)

Diagramme intonatif 25

Diagramme intonatif 26 (implique la lassitude)

12

APPLICATION PRATIQUE PROCÉDÉS DE CORRECTION

Commencer l'étude de l'intonation dès les débuts de l'enseignement. Les diagrammes ou les gestes de la main montrant les schémas mélodiques sont indispensables. La répétition chorale aide les plus timides. Elle est généralement meilleure que les productions individuelles. Procéder d'abord avec des phrases courtes. Découper en groupes rythmiques. Commencer soit par les groupes de la fin en remontant de groupe en groupe jusqu'au début, soit selon la progression inverse.

La première de ces techniques a l'avantage de permettre de présenter plus facilement les schémas intonatifs (on reproduit plus naturellement la phrase quand on peut la terminer que lorsqu'il faut la laisser en suspens). Soit la phrase : « Je ne lis pas les journaux français quand je voyage à l'étranger ». Faire dire (en accompagnant d'un geste de la main) :

1 - à l'étranger↓

2 - quand je voyage↑à l'étranger↓

3 - les journaux français↑quand je voyage↑à l'étranger↓

4 - Je ne lis pas↑les journaux français↑quand je voyage↑à l'étranger↓

On peut évidemment présenter la phrase groupe par groupe, en partant du début. Chaque groupe est laissé en suspens jusqu'à ce que toute la phrase soit terminée.

Si on veut compliquer la difficulté, on peut faire construire la phrase, du début vers la fin — par « échelons progressifs » — en considérant chaque fois que le groupe rythmique se termine comme s'il était finale de phrase. L'intonation va donc changer chaque fois, à mesure que la phrase s'augmentera d'un nouveau groupe. Soit la même phrase que précédemment : « Je ne lis pas les journaux français quand je voyage à l'étranger ». Faire dire (en accompagnant d'un geste de la main) :

1 - Je ne lis pas↓

2 - Je ne lis pas↑les journaux français↓

3 - Je ne lis pas↑les journaux français↑quand je voyage↓

4 - Je ne lis pas↑les journaux français↑quand je voyage↑à l'étranger↓

Les corrections sont effectuées ici essentiellement en comptant sur l'oreille de l'étudiant. L'enregistrement au magnétophone aide beaucoup. Il objective. Avec le magnétophone, on peut faire répéter l'enregistrement de la faute jusqu'à ce que l'étudiant l'ait perçue. Dessiner le diagramme de l'intonation fausse de l'étudiant. Faire comparer avec le diagramme correct. L'intonation se corrige après beaucoup de répétitions. En ce domaine, plus encore que dans celui de l'articulation, l'étudiant doit être un bon imitateur.

APPENDICE

Conseils pratiques pour l'enseignement
de la
prononciation dans la classe de langue

I. - NIVEAUX.

1

ÉTUDIANTS DÉBUTANTS

— La prononciation est indispensable à l'étude de la langue.

— Enseigner d'abord les sons utiles. (Voir première partie **phonémique**). Enseigner par *oppositions.*

— Ne pas négliger pour autant les habitudes générales à prendre dès le début. Enseigner la même difficulté dans les séries de patrons identiques, qui feront prendre de bonnes habitudes rythmiques, intonatives, etc. (Deuxième partie **phonétique**).

2

ÉTUDIANTS MOYENS

— Insister surtout sur les **traits généraux** de la prononciation (deuxième partie phonétique). Les règles simples de prononciation.

— E muet - liaison - rythme - intonation.

3

ÉTUDIANTS FORTS

— La prononciation peut constituer une étude à part.

— Etude des **timbres vocaliques** du français standard.

— **Variations de style :** E muet, liaison (en rapport avec l'utilisation d'une syntaxe et d'un vocabulaire spéciaux).

4

DURÉE DES EXERCICES EN CLASSE

Le temps à consacrer à l'étude de la prononciation est à déterminer par le professeur, selon les besoins de ses étudiants. Voici, à titre indicatif, un plan d'étude pour des exercices en classe. Ces exercices devront, de toute manière, être *intensifs* et *courts*. On évitera de rester trop longtemps sur le même sujet tout en enseignant toujours de façon systématique.

II. - DÉROULEMENT D'UN EXERCICE.

a) ***Revision.*** Dans la période consacrée à la prononciation, commencer par une revision rapide de la leçon précédente.

b) ***Leçon proprement dite.*** On peut la décomposer ainsi :

1. *Présentation de la difficulté* : linguistique, acoustique, physiologique.
2. *Identification* (discrimination auditive).
3. *Production* (émission vocale et correction des erreurs).
4. *Fixation* (répétition, utilisation).

I

PRÉSENTATION DE LA DIFFICULTÉ

a) ***Sons isolés.*** Ne jamais étudier un son qu'en *opposition* à un autre son de la langue étrangère, et surtout par rapport à un autre son du système français. Ainsi le *é* sera présenté par rapport à *eu*. Se rappeler que ces oppositions phonémiques sont celles qui doivent être présentées d'abord (voir pp. 11 et 17). A un niveau plus élevé, on pourra présenter des oppositions phonétiques du type : chanté / chant*ais*.

b) ***Traits phonétiques généraux.*** Les traits phonétiques les plus importants tels que le rythme, l'intonation de base, la syllabation ouverte, doivent être présentés *très tôt*, puisque les problèmes qu'ils posent se retrouveront à chaque leçon. Les traits phonétiques doivent être exposés par contraste avec ceux de la langue étrangère étudiée. Montrer par exemple que la phrase française :

Demain matin, j'irai à la Sorbonne.

se prononce :

4									
3			-tin						
2	Demain	ma-		j'irai	à	la	Sor-		
1								-bonne	

et non comme l'étudiant étranger la prononce, soit un Allemand, qui aura tendance à dire :

4							Sor-	
					à	la		
3				-tin j'irai				
		-main	ma-					
2	De-							
1								-bonne

ou un Anglais :

4									
3	De-				j'i-			Sor-	
2		-main	ma-			à			
				-tin			la		-bonne
1					-rai				

c) ***Présentation matérielle.***

EXEMPLE : Leçon sur ***é/eu.*** Type : dé/deux ou des/deux.

1. *Dessin au tableau :*

Dessiner les objets représentant les mots clefs, ou écrire l'indication du type d'opposition choisi, tel que :

le garçon / *les* garçons

ou explication brève, ou gestes,...

2. *Description articulatoire :* Schéma rapide au tableau :

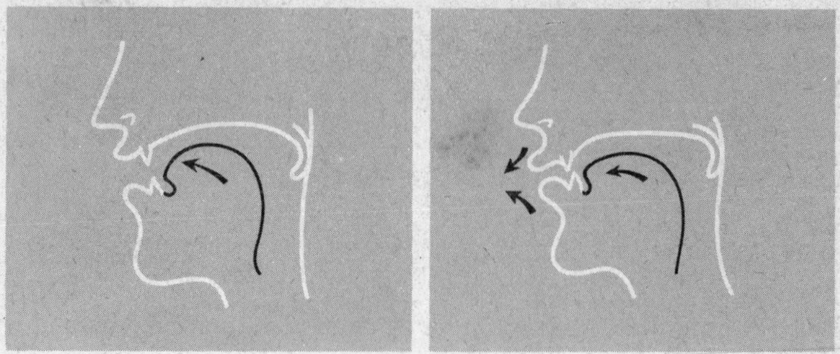

ou simplement les signes conventionnels :

d) *Description acoustique.*

EXEMPLE : *é* ressemble à la voyelle que vous avez dans votre langue, dans un mot comme...

Le é français est plus tendu (muscles plus fermes).
Eu : n'existe pas dans votre langue. C'est un son plus grave que é. Ecoutez la différence.

é/eu, *ces/ceux,* *des/deux...*

(Si *eu* existe, il n'est probablement pas assez labial, ni assez tendu, le faire remarquer.)

2

IDENTIFICATION

Un son ne peut être reproduit de façon durable que s'il a été correctement entendu. S'en assurer en le comparant avec d'autres sons.

EXEMPLE : Les sons é /e / o, comme dans le*s* / le / l'*eau* ; *ces* / ce / *seau*...

Noter au tableau un chiffre correspondant au son :

les / le / l'eau
1 2 3
Qu'est-ce que je prononce, 1, 2 ou 3?

Le test est d'abord collectif, toute la classe répond. On reprend autant de fois que cela est nécessaire avec diverses séries de mots. Puis après avoir repéré les récalcitrants, on reprend le test individuellement, toujours très rapidement, d'abord en associant la mimique articulatoire et éventuellement gestuelle au son, puis en faisant entendre seulement le son.

Lorsque les différences auditives sont correctement perçues, on passe à la phase suivante. (On peut associer la classe au jugement du professeur en prenant bien garde aux susceptibilités individuelles.)

3

PRODUCTION

On demande aux étudiants de répéter d'abord en chœur, après le professeur, les différentes oppositions. Puis on fait effectuer des répétitions individuelles. Il faut essayer d'obtenir un son satisfaisant. Mais un très bon résultat est rarement obtenu du premier coup avec les débutants. Ne jamais insister sur une correction. Recommencer les tests de discrimination auditive. Encourager l'élève. Passer au suivant, quitte à revenir plus tard. Sinon l'élève se cabre, se crispe et il se produit un blocage psychologique contre lequel aucune thérapeutique orthophonique ne peut rien.

La correction phonétique est un ajustage de tous les instants. Elle s'obtient peu à peu, avec beaucoup de patience et d'obstination. En cette matière aussi, le génie est fait de 1 % d'inspiration et de 99 % de transpiration.

4

FIXATION

Les sons peuvent être isolés pour les besoins de l'analyse.

On peut présenter ainsi isolément : *i* / *u* / *ou*; mais il faut très vite les remettre dans un contexte de syllabe tel que *si* / *su* / *sous* ; enfin et surtout dans un contexte de phrase, par exemple : En voilà m*ill*e / Quelles belles *mules !* / Quelles belles *moules !...*

Pour la fixation des sons acquis, *la répétition en série* d'un même type rythmique et mélodique est la plus efficace :

Prends-le / Prends-les
Mange-le / Mange-les
Donne-le / Donne-les... etc.

Travailler une série d'au moins huit paires de ce type (1). Répétition chorale d'abord. Surveiller la gymnastique articulatoire. Ecouter l'ensemble. Une erreur est vite repérée, comme une fausse note dans un chœur. La répétition chorale libère des complexes. Elle est excellente. Mais pour plus de précision, revenir aux exercices individuels. Chaque étudiant lit ou répète une série. Dans une classe nombreuse, tous ne pourront pas lire, reprendre de temps à autre quelques exemples en chœur, à propos d'une faute individuelle. Et c'est au cours d'autres exercices de langue, dans la journée, qu'on signalera impitoyablement la faute à éviter, présentée le matin, dans l'exercice de prononciation.

On verra peu à peu que de nombreux exercices de langues peuvent découler d'exercices de phonétique. Répétons qu'ils en sont inséparables. Les exercices de *transformation*, en particulier, sont très efficaces : singulier / pluriel, présent / passé composé, etc. (1).

Les exercices de *substitution* peuvent également rendre de grands services. Par exemple, sur le modèle de « j'ai une cravate », réponse : « moi, je n'ai pas de cravate, mais vous en avez une », l'élève doit transformer chaque fois l'*indication* donnée par le professeur.

Les exercices de ce genre devraient être en réalité seulement exposés en classe pour la compréhension, revisés rapidement et exploités en **conversation** pendant la classe suivante. Le travail de fixation devrait alors être effectué grâce aux techniques du **laboratoire de langues**(2). Le magnétophone est un professeur inlassable et l'étudiant dans sa cabine, avec ses écouteurs et son micro, est délivré des affres de l'interrogation individuelle, tout en étant dans la situation privilégiée de la leçon particulière.

REMARQUE.— Pour *l'entraînement à la lecture*, on pourra avoir un plan de travail en classe qui comportera : 1° un entraînement à la compréhension auditive du texte ; 2° des exercices portant sur les principales difficultés articulatoires ; 3° un découpage rythmique et mélodique ; 4° éventuellement une explication phonostylistique (importance des pauses; accents d'insistance, variations de rythme et d'intonation).

---

1. Voir *Exercices systématiques*.
2. Voir *Laboratoire de langues et correction phonétique*.

III. - MOYENS DE CONTROLE. LES TESTS.

On se fie généralement à l'impression globale d'une lecture pour juger des progrès d'un étudiant, en prononciation. Il n'y a rien de plus dangereux. Il faut périodiquement contrôler les progrès à l'aide de tests de ***compréhension auditive*** et à l'aide de tests d'***expression orale.***

I

TESTS DE COMPRÉHENSION AUDITIVE

● Un test à la portée de tous est la *dictée*. Si le professeur tient compte des fautes phonétiques commises, il aura une bonne idée des déficiences auditives de l'étudiant pour des sons auxquels il n'est pas habitué.

Une dictée ne doit jamais être faite à vitesse excessivement lente, en prononçant tous les e muets et en faisant toutes les liaisons. Il vaut mieux répéter quatre fois à une vitesse normale, avec une élocution sans emphase, plutôt que deux fois à vitesse lente. Si l'étudiant ne comprend pas, c'est qu'il n'est pas encore prêt à surmonter les difficultés qu'on lui présente.

Les étudiants feront d'autant plus volontiers des exercices de prononciation qu'ils en verront la nécessité pour les dictées. Un entraînement auditif intense par l'écoute de disques ou de bandes magnétiques doit être prévu parallèlement.

● L'essentiel des tests, pour plus de précision, doit être fait à partir d'un matériel préparé à cet effet. On pourra prendre pour cela les *Exercices systématiques.*

● *Technique du test.* Il y a de nombreuses manières de présenter un test. En voici une simple et rapide, qui peut convenir à des étudiants ne sachant pas même écrire le français.

Présentation matérielle. Une feuille sur laquelle sont écrits trois par trois les chiffres de 1 à 60, disposés sur deux colonnes par exemple.

1	31
2	32
3	33
4	34
5	35
6	36
7	37
8	38
9	39
etc	etc.

Processus du test. Le professeur dit trois phrases à la suite (ou à la rigueur 3 mots), à vitesse normale, puis s'arrête un instant pour que les étudiants marquent devant les chiffres correspondant au numéro des phrases, l'indication qu'on leur demande. Il s'agit, si les trois phrases sont identiques, de marquer trois croix. Si les trois phrases sont différentes, ne rien marquer. Si deux phrases sont identiques, marquer une croix devant chacune de ces phrases. Il y a ainsi cinq possibilités de réponse chaque fois, d'où peu de chance laissée au hasard dans la réponse.

EXEMPLE :

Le professeur dicte	*L'étudiant note*
1 - Mon mari vient déjeuner.	*
2 - Mon mari vient déjeuner.	*
3 - Mon mari vient déjeuner.	*
4 - Mon mari vient déjeuner.	
5 - Mon mari vient au déjeuner.	
6 - Mon mari vient pour déjeuner.	
7 - Mon mari vient déjeuner.	*
8 - Mon mari vient déjeuner.	*
9 - Mon mari vient d(e) déjeuner.	
10 - Mon mari vient déjeuner.	
11 - Mon mari vient d(e) déjeuner.	*
12 - Mon mari vient d(e) déjeuner.	*
13 - Mon mari vient d(e) déjeuner.	*
14 - Mon mari vient déjeuner.	
15 - Mon mari vient d(e) déjeuner.	*

Etablissement du test. Le test est destiné à vérifier si les connaissances acquises sont fixées. Après les leçons sur chacune des séries vocaliques ou consonantiques, reprendre dans les *Exercices systématiques* des phrases courtes permettant ainsi de faire le point. Par exemple, pour revoir les oppositions E/EU, on dictera des séries comme : 1. Il se dit; 2. Il se dit; 3. Il s'est dit; 4. Il se fait; 5. Il s'est fait; 6. Il s'est fait; 7. Il s'est plaint; 8. Il se plaint; 9. Il se plaint, etc. On peut dicter des phrases plus longues, mais pour que le test soit valable, il ne faut introduire qu'**une difficulté par phrase.**

Notation du test. Le test ainsi établi avec soixante phrases, est noté sur 20. Chaque groupe de trois comportant une faute est considéré comme mauvais.

Autre possibilité du même test. Au lieu du système des croix, on peut, avec des étudiants plus avancés, demander qu'ils écrivent les réponses. Dans ce cas, la validité du test est un peu moins grande, car on teste en même temps la capacité orthographique.

Les tests peuvent être *phonémiques* — porter uniquement sur les phonèmes qui entravent la compréhension — ou *phonétiques* et porter sur des différences de timbre, la chute de l'e muet, des liaisons, des intonations différentes d'une même phrase, etc. On peut par exemple lire un texte et demander aux étudiants de noter les *e* muets qu'on a supprimés, les liaisons faites ou non, etc.

2

TESTS D'EXPRESSION ORALE

a) *La lecture d'un texte.* C'est le test le plus facile, puisqu'il ne demande presque aucune préparation. Mais il ne peut donner qu'une impression générale vague et sans grande valeur, sauf avec les étudiants très avancés. Noter alors la facilité d'élocution. Apprécier le rythme et la mélodie de la phrase.

b) *La conversation.* Egalement facile à improviser et difficile à apprécier, ne doit intervenir que pour compléter le jugement du professeur sur la facilité d'élocution de l'étudiant.

c) *La lecture d'exercices spécialement préparés* facilite la précision de l'appréciation. Explorer méthodiquement tout le champ des possibilités phonémiques et phonétiques. Faire lire une série de dix phrases concernant *la* difficulté choisie. *Ne noter que sur cette seule difficulté.* Soit par exemple à apprécier la non-nasalisation de la voyelle devant une consonne nasale. Prendre une série de phrases des *Exercices systématiques*, telle que :

c'est la mienne ;
c'est la tienne ;
c'est la sienne ;
ils y tiennent ;
elles reviennent, etc.

Même si le *e* de *elles* ou le *r* de *reviennent* sont mauvais, ne pas en tenir compte, puisqu'il s'agit ici de juger si le [ɛ] de reviennent, mienne, etc., est bon ou non. Chaque fois que mienne ressemblera à mien, noter une faute. Donner sa note à l'étudiant. L'inciter à travailler les points faibles. Recommencer le test plus tard avec des mots de même structure, mais différents ou au moins dans un autre ordre. Ce test convient à des étudiants sachant déjà lire. Mais les habitudes de lecture peuvent fausser ce test.

d) *Le test sur images.* C'est le test d'expression orale idéal. Ne pas prévenir l'étudiant qu'il est testé sur sa prononciation. Présenter le test comme un test de vocabulaire. Déterminer à l'avance pour chaque image présentée la difficulté que l'étudiant aura à vaincre dans l'émission du mot qu'il prononcera. S'il s'agit de contrôler si le *d* intervocalique est correct et non prononcé comme un *th* sonore anglais ou un *d* espagnol, prendre une image comme celle de Madame Thibaut ou Durand que l'étudiant connaît bien dans son livre de français. Lui poser la question : Qui est cette dame? Il doit répondre (s'il est bien conditionné) : c'est Ma*d*ame Thibaut. Noter un point si le *d* est correct. Si ce *d* est prononcé *t* ou *z* ou *th*, c'est une faute. Ne noter que celle-là. On voit qu'ici encore, **le test peut être phonémique, le son émis est jugé juste s'il n'entrave pas la compréhension du mot; ou bien le test est phonétique et le son à tester est jugé bon seulement s'il est «français»**

Le test sur image est difficile à préparer, car les dessins doivent être suffisamment explicites pour que la réponse attendue soit donnée. En particulier, il est difficile d'obtenir des consonnes initiales. On peut, par des questions adroites, pallier l'absence d'images si on n'en a pas de disponibles.

3

NÉCESSITÉ DES TESTS

Les tests sont un moyen de contrôle pour le professeur, mais aussi une indication précieuse et un stimulant efficace pour les étudiants. Ils savent ainsi de manière précise où ils en sont et prennent mieux conscience de la réalité orale de la langue et de la nécessité de leurs efforts sur ce plan. Il faut se rappeler qu'on ne peut exiger tout à la fois. Les tests doivent suivre la progression des exercices, être d'abord surtout phonémiques. Ce n'est que peu à peu qu'on exigera dans les tests une correction phonétique de plus en plus parfaite. C'est le seul moyen d'avancer sûrement et de ne pas décourager la bonne volonté des étudiants.

Il est d'ailleurs bon de donner à chaque étudiant une *fiche de contrôle* sur laquelle sont notées les fautes qui lui restent. Sur cette fiche pourraient figurer la plupart des titres de notre table des matières. Mais l'inventaire des rubriques possibles se trouve heureusement limité par les caractéristiques propres à chaque langue et par les progrès réalisés.

ÉLÉMENTS DE BIBLIOGRAPHIE

BIBLIOGRAPHIE GÉNÉRALE

KAISER, L. : *Manual of phonetics*, North Holland Publ. Cie, Amsterdam 1957, 460 p.

PHONÉTIQUE GÉNÉRALE

MALMBERG, B. : *La phonétique*, Que sais-je?, P.U.F., Paris, 1954, 135 p.

LAFON, J.-Cl. : *Message et phonétique*, P.U.F., Paris, 1962, 165 p.

PHONÉMIQUE
(phonétique fonctionnelle)

GOUGENHEIM, G. : *Eléments de Phonologie française*, Les Belles Lettres, Paris, 1935.

MARTINET, A. : *Phonology as functional phonetics*, Basil Blackwell, Oxford, 1955, 40 p.

MARTINET, A. : *La description phonologique*, Droz, Genève ; Minard, Paris ; 1956, 108 p.

MARTINET, A. : *Eléments de linguistique générale*, A. Colin, Paris, 1960, 223 p. Voir pp. 45-96.

PHONÉTIQUE FRANÇAISE

a) *Descriptive* :

FOUCHÉ, P. : *Introduction à la Phonétique historique du français*, 3e partie, pp. 70-106, Klincksieck, Paris, 1956.

MARTINET, A. : *La prononciation du français contemporain*, Droz, Paris, 1945, 249 p.

STRAKA, G. : *La prononciation parisienne*, Bulletin Fac. L., Strasbourg 1952, 45 p.

b) *Normative* (règles de prononciation ou orthoépie) :

FOUCHÉ, P. : *La prononciation française*, Klincksieck, Paris, 1956, 528 p.

LÉON, P. R. : *Aide-mémoire d'orthoépie*, Centre de linguistique appliquée, Université de Besançon, 1962, 95 p. (Épuisé et réédité sous une forme nouvelle, sous le titre ci-dessous).

LÉON, P. R. : *Prononciation du Français Standard*, Paris, Didier, 1966, 186 p. (Avec exercices de transcription, Problèmes de phonétique, Clés et Enregistrements).

c) *Dictionnaires de prononciation* :

BARBEAU, A., RHODHE, E. : *Dictionnaire phonétique de la langue française*, Norstedt et Soners, Stockholm, 1930, 341 p.

WARNAND : *Dictionnaire de prononciation française*, Duculot, Bruxelles, 1962.

QUEMADA, B. : *Dictionnaire phonétique du français*, Centre de linguistique appliquée, Besançon (*en préparation*).

PHONÉTIQUE CORRECTIVE

a) *Exercices phonémiques* (oppositions fonctionnelles) :

LÉON, Monique : *Exercices systématiques de prononciation française. Phonémique et phonétique*, 2 fascicules B.E.L., Hachette et Larousse, Paris, 1964.

b) *Exercices phonétiques* (plus spécialisés pour une langue donnée) :

DELATTRE, P. : *Principes de prononciation française* à l'usage des étudiants anglo-américains, Middlebury, U.S.A., 2e éd., 1951, 68 p.

LÉON, Monique et LÉON, P. R. : *Exercices pratiques de prononciation française, destinés aux étudiants laotiens*, B.E.L., Paris, 1961, 68 p.

LÉON, P. R. : *Exercices de prononciation française destinés aux étudiants de langue germanique*, Centre de linguistique appliquée, Besançon, (éd. provisoire), 1961, 68 p. (épuisé).

COMPANYS, E. : *Phonétique française à l'usage des hispanophones*, B.E.L., (à *paraître*).

LABORATOIRE DE LANGUES

LÉON, P. R. : *Laboratoire de langues et correction phonétique*, Didier, Paris, 1962, 275 p. (Deuxième édition à paraître).

Achevé d'imprimer sur les presses des Imprimeries Oberthur

Dépôt légal Éditeur nº 4 884 — 2e trimestre 1966 — 15/12/0097/02 — Imprimeur nº 7 679